●「大道之行也，天下爲公」是郝院長治國奉行不渝的理念。

●「青天白日勳章」為軍旅生涯留下最高榮耀。

●82年2月26日卸職前，接受李總統頒大綬一等卿雲勳章。

●李光耀夫婦訪華，是促成辜汪會談的緣起。

●郝院長對黨國元老一向敬重有加，向孫資政致意。

●郝院長在巡視金門時，受到台灣去訪民衆熱烈歡迎。

●與家人歡聚一堂，在兒女眼中是個慈愛的大家長。（新聞局提供）

●與孩子們游泳是他快樂的一刻。

●駐院記者李建榮致贈巴黎漫畫家筆下的郝院長畫像，和郝柏村手上孫子爲他的速寫相映成趣。

●「無愧」是郝柏村從政生涯最好的詮釋。

社會人文㊵

無愧

——郝柏村的政治之旅

王力行 著

封面題字/張吉雄

無愧——郝柏村的政治之旅 目錄

序

留下一頁眞實的歷史紀錄

——寫在「無愧」出版時

郝柏村

我沒有想到會以文職卸任，也沒有想到，在八十二年三月退職之後，會立刻接受遠見雜誌總編輯王力行女士的建議，很用心的來敍述近三年在行政院所做的工作。

近幾年來，在省籍情結與統獨情結的挑撥與爭論中，黑白可以被顛倒，是非可以被扭曲，原則可以被放棄，人物可以被抹黑，在這大是大非混沌不清的時局中必須留下真實的歷史紀錄，這是我接受王女士建議的主要動機。

目前一個令人痛心的現象是：社會愈開放，「真實」居然愈難得。面對這種畸形現象，我們不應當再保持傳統上卸職之後清高的沈默，而應當善意又理性的把一些自己的體認忠實的給公衆一個交代。

我堅信政者正也，民主政治絕非高明的權術或騙術，政治人物無我無私的抱負與奉獻犧牲的誠信，是政治家與政客的分野。我自信還不夠作政治家，但絕不作政客；政治權位是用來爲國家社會服務的，當我體察到我不能再爲人民服務時，我決定放棄權位。

我離職前後，支持我的海內外各方人士，自動自發的舉行各種活動，希望我留任，從遊行請願到簽名致意，使我萬分感動，我益發有責任應當把事實真相告訴支持我的同胞，也許他們對我並非政治逃兵的辭職能加以諒解。

因此，在敍述中最重要的要求是「真實」。在這個要求下，我討論自己的施政理念，施政過程中重大政策的推行，遭遇到的重大阻力，以及對今後國家前途的展望。我所要强調的是，這些經驗包括不和諧的經驗，或能增進今後全民的民主共識與落實民主素養，也或許對淨化民主品質稍有助益。

根據我的體認，三年來，台灣地區民主政治變化的速度很快，但民主政治的品質令人憂心。我們知道：今天沒有人能以槍彈來取得政權，但我們還不知道如何能有效的防範銀彈來贏得選舉。

寧爲平民，不爲政客

我對民主政治的信念堅定不移。率直的提出這些觀察，或許是一個退休的政治人物對國家與人民所做的最後貢獻。

令我感動的是，在院長任內，去馬祖、去金門、去澎湖、去台灣每一個角落，舉行一萬人次以上基層幹部座談，鼓吹發揮四十年前「便當精神」，都受到了當地民衆熱烈的歡迎；卸職之後，在洛杉磯、休士頓、紐約、芝加哥、華盛頓以及德國、義大利和希臘，也都同樣受到了當地僑胞與學人的熱烈歡迎。根據我的推斷，他們所歡迎的，絕不是我的職位，而可能是我一貫的言行，在做事上有所爲，有所不爲；在做人上，寧爲平民，不爲政客；在國家重大政策上，堅持大是大非；在民族前途上，主張一個中國。

自八十二年三月初開始，我每週抽出幾個上午，根據我的日記及其他資料，同王總編輯敘述在行政院二年九個月的經歷。我們的敘談達四十次以上，這些談話就變成了她撰述本書的素材。我無意褒貶任何一位政治人物，更不會爲自己辯護。從這些真實的敘述中，王總編輯完全獨立自主的撰述這本書。

由於職務的關係，我一生不便接近媒體。直到五年前，在參謀總長任內，第一次接受了媒體的訪問，當時訪問我的就是現在寫這本書的遠見雜誌王總編輯，相信在她高度的專業素養及鍥而不捨的努力下，本書兼具正確性與可讀性。

我堅信民主政治是治國之大道，近三年行政院長任內，無不時時刻刻推動實踐。這三年也是中華民國民主政治史上重要的關鍵，我總希望，凡政治人物應以理以德以才服人，才令人心悅誠服，而非以權術、以名利攏絡爲用。身爲軍人，我與任何政治人物沒有個人的恩怨與衝突，但深信民主的理念必建立在大公無私的領導上以及融入尊重法制的精神中。

戰場有勝負，政海有浮沉，在歷史的長河中，個人一時的進退與榮辱，就如滄海之一粟。檢驗自己一生，最重要的是：

當我是軍人時，為了國家生存，我曾流汗流血；

當我是文人時，為了人民福祉，我曾費心費力；

人格是用兵的至高無上要義，更是從政的至高無上要義。

回顧從大陸到台灣，從治軍到從政的半世紀公務生涯，在每一個工作崗位上，我都盡了所有的心力，捫心自問，無悔更無愧。

（本文作者現為總統府資政）

序

我和郝柏村院長共事的體會

王昭明

民國七十八年五月底，行政院改組，李煥先生組閣，我被任命為行政院祕書長，這是大出我意料的事。我在七十七年八月自經建會退休，自認公務生涯已告結束，正在安排過一個平民的生活，想不到先是被強邀至台電公司做董事長，九個月後又被調回行政部門工作。

自踏入行政院大門以來，轉眼又已四年多了。第一年擔任李煥內閣的祕書長，原以為必然隨同李內閣的改組而去職。在七十九年的五月下旬，把辦公室清理空空，等待移交，忽然內定的新閣揆郝柏村先生來訪，表達希望留我續任的意思，我立即表示難以接受，最主要原因是我對行政院祕書長一職素乏意願，而在李內閣時也已言明只擔任一年，不可改變初衷。至於我和郝先生堪稱素昧平生，缺少認識，豈可貿然接受留任之請。但是在那一個多星期中，郝先生三度造訪，堅決留任，遂在續任六個月的瞭解下，繼續擔任，結果卻一直做到郝內閣辭職爲止，可說這幾年的公職生涯是意外中的意外，也打亂了我退休後的生活安排。

擔任郝內閣祕書長二年九個月期間，由於每日和院長接觸，對他的瞭解也隨時日而增加。有些人常以軍事强人來形容他，甚至說他專斷獨行、決策粗糙，表示不是適宜的最高行政首長。事實上這些批評多屬主觀的偏見，甚至可能蘊含有政治圖謀；就我的體會，他的表現在行政人員中應是理性、平衡、而又極富使命感的人物。

民主的決策風格

譬如人們常說他是一個典型的軍人。就行事的魄力而論，他確然比一般文職人員更富果斷的魄力；但他在決策過程中，卻展現出科學的態度和尊重他人意見的民主風格。非常可惜在他任行政院長期間，未能將這一形象向社會顯示，可能是幕僚羣的缺失，可是他自己卻不在意。我記得他對一個重大決策的決定，總要求先做詳細的規畫，從情況的評估到方法的選擇，都要求精密的分析，在討論議案時，從不先表示他的觀點，以免影響其他同事意見的表達，一定由與會者一一表示意見再予歸納裁決，有時覺得自己所作的歸納尚有商榷之處，就表示只供大家參考而要求再加研議，其處事的過程相當慎重而非批評者所謂的粗糙或草率。

另一個特色是他做一件事非常重視落實和績效。依我的感覺，這可能和軍事的要求有其關係。執行任務的過程是否切實?執行的結果是否獲致預期的成果?不能得到預期成果的原因何在?都是軍事任務必然要求的項目，在他主持行政院時也就用上這一套，無論是改善治安、提振公權力，包括各種行政罰鍰是否繳納、公共場所安全規定是否照辦等等，他都窮追不捨。

我想和郝院長共事的內閣首長，應當會有一個共同的感覺，便是他非常尊重各級主管的人事權。對部會以下的人事從不干預，包括次長及各業務主管的人事，絕不交辦，完全尊重部會首長的意見，極少的例外對一、二人員是否適任有所疑問，也只是要求首長再加斟酌，而不另行提示人選，這種分際顯示出他自律的一面。

最突出的一點也許是他强烈的使命感了。什麼是他認爲必須追求的使命?我的體會是厲行法治、落實民主、增進福祉、確保安全。一切的施政以此爲目標，一切的政治主張也以此作爲衡量的基準。例如對統獨問題，他以爲極可能爲居住在台灣的二千萬人帶來無可補救的災難，所以他絕對不能含糊以對。而立場明顯、態度磊落，正是他的風格。

二年九個月的共事時光，在我的公務生涯中不過是短暫的一段，但對我這個一向只在財經系統中擔任一個技術幹部的人來說，卻感觸特深。經此一段經歷，才知道政治的五光十色，常使人撲朔迷離，回顧起來，真不該在公務員的道路上，走上這一段。

遠見雜誌社的總編輯訪問郝先生四十餘次，寫了這本書，其中有許多事我都曾經接觸，要我寫一篇序文，我就把這段期間的體會略加陳述，也許可供大家對這位人物多一分認識吧。

（本文作者為行政院政務委員）

序

關鍵年代的歷史見證

胡佛

最近一年，台灣的政治真稱得上波譎雲詭，變幻莫測，但其中最撼人心弦的，莫過於行政院院長郝柏村先生的辭職。郝先生於民國七十九年六月出任行政院院長，先整頓治安，再全盤規畫六年國建，但六年只得一半，即無法續任。辭職的當日，正逢國民大會舉行閉幕典禮，郝先生出席觀禮，但反對人士，包括若干郝先生的同黨同志，一擁而上，加以圍困，郝先生則振臂高呼：「中華民國萬歲！消滅台獨！」郝先生的呼聲，出現在電視螢幕，也穿越過電台頻道。遠見雜誌的總編輯王力行女士，在收音機中聽到這一報導時，不禁感觸，決心要好好記錄下這一段歷史。王女士是國內極富專業知識，且極具責任心與正義感的新聞工作者，她所採用的方法即直接訪問卸職後的郝先生。經過四十多次的訪談，並查證若干文件資料，王女士終於完成這一部大著，非常忠實，也非常平實而生動地，將郝先生在近三年行政院院長任內所懷抱的理想，所秉持的原則，所獲致的成就，以及所遭遇的種種困阨感受，加以析述。在訪談中，王女士得悉郝先生與我曾討論過憲政的問題，她乃非常慎重地將初稿寄來，要我察看一下是否有所誤記，並望我對這一段歷史表示一點看法。

我承她的盛意，得先睹全稿，但也興起無限的感慨。我試想，李總統與郝先生如真能「肝膽相照」，一如郝先生在組閣時，雙方所期盼的，則無論對獨統的對立、省籍的調和、憲政的改革，以及經濟的建設等，皆是極有助益的。從政治變遷的觀點看，透過所謂的「協商的轉化」，最有利於民主政治的轉型。西班牙在這方面的成功，就是出於國王的放權，以及各政黨的協調，建立了責任內閣制：由國王代表國家，超出黨派，統合所有族羣與民衆，另由內閣掌握治權，向國會負責，而完成國家能統、政府能治的穩定民主體制。郝先生向來主張內閣制，而我國憲法也正是五權內閣制的設計，如能獲得充分支持，不分畛域，共同協力憲法的回歸與內閣制的整建，應能消弭政爭，調和黨派及族羣的利益，順利進行民主的轉化，又何致弄到今日省籍情結的緊張，新黨從國民黨的出走，憲法的一修、再修，至今還是體制不明，仍須續修呢？在政治變遷的緊要階段，郝先生的基本主張，甚至重要施政，實際並未受到真正的尊重與充分的支持。其中的轉折，對關心民主轉型的人士來說，實在是值得深長思的。在細讀王女士的大著以後，我對郝先生的不能繼續主政，大致也有幾點粗淺的看法，姑且提出，或可供留意這一段歷史者的參考。

首先，蔣經國總統生前解除戒嚴，開放黨禁、報禁，以及在猝死後，由李總統接掌政權，軍方在郝先生的領導下，皆能尊重憲制，嚴守中立，這對當時政局的安定及民主的和平轉化，實具有關鍵性的意義。郝先生後來由武轉文，出任閣揆，據今日瞭解，乃出於李總統爲解消立法院對原任行政院長的支持，所作的一種政治運用。但社會久處戒嚴時代，很易引發對軍人干政的疑慮，而正如王女士在大著中所說的：「解嚴之後，一股反傳統、反權威……的不滿情緒，似乎在郝柏村上台後找到了紓發對象。」郝先生雖用過去的事實證明：一向尊重憲制，甚至爲釋羣疑，放棄終身軍職，並全力投入社會的建設，但身處如此特殊的情境，如有心人再以省籍的情結加以撥弄，郝先生的滿腔熱忱、無限抱負，也就不易施展了。

其次，從王女士的大著中可以看出，郝先生的視野是整個的中國，他的歷史觀是數千年來中華民族的綿延與發展，他所殷切盼望的則是二十一世紀的中國人能揚眉吐氣。在他的眼中，中華民國雖局處台灣，但建設台灣也正是爲了進而建設中國，而台灣本來就屬於中國，台灣人本來就是道地的中國人，無論於文化及道德上，皆不能加以分割。因之，他的反共，反台獨，都是基於一個中國的大原則。王女士說：「在郝柏村的軀體中，始終流著中國人的血液，」並深感郝先生「蘊藏著簡單、明確與大格局的思維。」這些皆相當道出了郝先生在政治上的基本價值及思考方向。認同中華民族及一個統一的中國是數千年來中國文化的傳統，但這一傳統在台灣實際已起了相當實質上的變化。持極端態度的，聽不得一個「華」字，主張台獨，猶其餘事。就在郝先生所屬中國國民黨的同志中，也不乏台灣的主體意識，甚至公開宣稱要把「中國」國民黨變成「台灣」國民黨，對一個中國的認同，抱持著非常模稜而消極的態度。郝先生所堅持的中國意識，不僅與民進黨的台獨論調，水火不能相容，也與國民黨內的台灣意識，枘鑿不能相合。郝先生在內外兩種台灣情結的夾擊下，不被罵成「賣台分子」、「中國沙文主義」，也就不可得了。當然，郝先生可不必迎合時下所流行的台灣情結，而光明正大地以捍衛中華民國及一個中國的文化傳統自任，但也當然會在政途上造成水土不服，雖儘量「委曲」，終仍無法「求全」。

再次，在整體中國的大格局思維下，郝先生所講究的，就如王女士所指出的是：「大是大非」，也就是一些大原則。大原則是比較純粹、質樸、明確，而持久不變的。郝先生於擔任行政院院長時，在憲制上，力主維持憲法所規定的內閣制，反對削減行政院院長的副署權；在政治上，深惡痛絕金權與黨政的掛勾，要求根絕賄選，以清除對選舉的污染；在外交上，主張發展整體國力，作爲後盾，不可進行金錢與哄騙外交；在財經上，則全力支持嚴查漏稅，並按實價課徵土地增值稅，以防堵土地操作。郝先生的這些主張，在施政上，是成，是敗，爲另一問題，但皆出於大原則的考慮。不過，今日台灣的政風，往往在情境與情緒中擺盪，有時十分功利、現實，有時又非常一廂情願。在使人眼花撩亂之餘，不僅是非不明，也真假難分。至於在移動過程中所呈現的若干原則，則是相對而短暫的，一個急轉彎，過去的原則就被甩脫。我們可以看到新增訂的某類「修憲條款」，還未適用，就要修「修」；按實價課徵土地增值稅，輿論譏爲打倒特權，政風一轉，即被說成掠人土地。如果原則的搖盪，反成爲時下不是原則的原則，誠信就不再是值得重視的價值了。郝先生所講究那些持久不變的大是大非與大原則，遇到搖盪而短程的原則，就顯得非常不夠機巧、靈活，而格格不入了。

最後要指出的是，郝先生非常重視憲政體制的確立與信守，他在治軍時就特別强調，効忠中華民國憲法就是保衛中華民國。在戒嚴解除後，他則認爲只要廢止動員戡亂時期臨時條款，僅在憲法中修訂中央民意代表在台的選舉及地方自治在台的實施，即可穩定大局，並進而促進憲政的實施。郝先生的這些看法，與我一向所主張的回歸憲法，頗爲一致。在民國八十一年的十一月間，立委即將全面改選，過去行政院院長是在總統改選後，向總統提出總辭，而非向立法院。現既修憲，全面改選立委，行政院院長應否在改選後總辭，以示向立院負責呢？這當然牽涉到政府的體制問題，在當時引起許多爭論。我與郝先生雖素無淵源，但正如王女士所記述的，在十一月二十七日，我往行政院趨晤討論，談到我國憲法所設計的政府體制確是五權內閣制，但憲法未明文規定行政院院長的任期，爲彰顯這一體制的精神，不妨由郝先生比照立委的任期，而在立委改選後總辭。郝先生原可依過去的慣例不辭，但仍決定總辭，完全是爲了確立我國憲法所規定的內閣制。八十二年年底，執政黨在立委選舉中，獲得多數席，顯示行政院的施政受到民衆的肯定與支持，按內閣制的常規，執政黨當然應提名原行政院院長續任，結果反而是郝先生被逼而退。對憲法較具深入研究的中西學者，無不同意內閣制在所有政府體制中最爲民主、穩定，也最適合像我國這樣政治轉型中國家的運作，但在台灣情結的烘托下，台灣總統必須掌握大權，任何制度必得按此身材修訂，且不妨一修，數修。情結如此，郝先生雖不惜總辭以維護內閣制，又怎能受到尊重，而不被責爲保守呢？

郝先生一生治軍從政，在卸職後，還念念不忘救黨、護憲、安台、保國，他的功過成敗，歷史自有公評。但我們要指出的則是：現在政局的紛擾已愈演愈烈，正處在十字街頭。是進？是退？是安？是危？是放眼大而遠者？還是淺觀小而近者？這些皆有賴我們能不能脫出功利的陷阱，情結的綑綁，而作智慧的抉擇。王女士的大著雖只析述郝先生不到三年的從政之旅，但其中的各種轉折，皆是我們走進這一關鍵時刻的歷史見證，值得重視，是爲序。

（本文作者為國立台灣大學政治系教授）

寫在出版前

王力行

五年前，我有一個難得的機會，單獨訪問到當時的「强人總長」郝柏村，深覺在他威嚴的外表後面，蘊藏著簡單、明確與大格局的思維。由於服務軍旅，他絕少面對新聞界，但是我也發現，一旦他接受訪問，並不迴避問題，也不擔心他的話會被誤寫或誤解。

也許是因爲這樣的認識，使我在五年後有勇氣提出寫書的計畫；但更關鍵的是：八十二年一月三十日的一幕，觸動了我作爲記者的血脈。

那天傍晚，我正開著車往國家劇院觀戲，車行仁愛路上，收音機裏新聞報導：郝院長上午在陽明山國大閉幕典禮中，遭到反對黨包圍，他高呼「中華民國萬歲！消滅台獨！」郝院長中午決定辭職。

一種難言的感觸湧上心頭，朦朧行駛中，中正紀念堂「大中至正」四個字出現在眼前。就是那一刹那，我告訴自己：做爲一個新聞工作者，要好好記錄這一段歷史。

我尤其要記錄的，是這樣一位傳統軍人跨入複雜政壇後，如何推動他的理念和政策？在面對台獨及反對黨的聲浪中，在承受層峯和省籍情結的壓力下，他到底有什麼感觸？爲什麼不能克服？跟隨二位蔣總統多年的他，對未來的中國又有什麼看法？

四十六次第一手訪談

面對愈是敏感複雜的問題，愈需要當事人第一手的坦誠告白。

在後來四十六次與郝院長的訪問中，他的坦白和直率，出乎我的意料。也許這正是他的性格使然，他對我說過：「很多人從政治鬥爭立場，說我太老實了；我感覺做一個政治人物，總是要坦蕩蕩的，不能搞權術。政者，正也。」

從八十二年三月卸職後起，他每週抽幾個半天接受訪談；他總是拿著他的日記本，依時序、逐事逐件地告訴我經過。他的語氣平穩中有激動，他的表情嚴肅中有親切。

由於大格局的思考方式，他所記的都是大事；我再從成堆的資料中補上細節。

錄音整理出來的資料就已超過二十萬字，其中當然牽涉不少重要人物和重要事件。有些十分敏感，甚至具有爆炸性，我在後來撰寫過程中，不得不爲了當前的安定，或省略，或隱其名，將來當有機會公布；但每件事都是查憑有據的。書中的人物，除了蔣總統、蔣孝武和俞大維先生去世外，其他都還健在，應不致被認爲無從對證。

面對當事人的觀點

讀過不少名人傳記與回憶錄，感覺最易引起誤會與爭議的，恐怕就是觀點問題——站在誰的立場來看事論人，尤其是涉及高敏感度的政治是非。

我不想誤導讀者，以爲這是一本用全知觀點來評論郝柏村政績的書；而是要清清楚楚的說明：這是一本從郝柏村的觀點、理念及親身體驗，做真實的二年九個月閣揆之旅的紀錄。從郝柏村的觀點，是爲歷史留下一頁真實紀錄；從我的觀點，他這些坦率的陳述，可能有助於民主過程的瞭解和民主制度的落實。

凡是愈複雜的問題，它的面向必定愈多；與其自己去分析猜測，不如面對當事人，坦陳第一手的採訪紀錄。

郝柏村院長，是繼陳誠副總統之後，第一位同時任過參謀總長與閣揆的文武最高官員，也是第一位卸任之後立即應允寫政壇回憶的政治人物。

他勇敢而率直地接受這些採訪，正如他自己所說：「我無意褒貶任何一位政治人物，更不會爲自己辯護」；又說：「率直的提出這些觀察，或許是一個退休的政治人物對國家與人民所做的最後貢獻。」

從今年三月開始工作，到年底脫稿，我要特別感謝我的同仁苗天蕙小姐的大力協助，以及「遠見」朋友對我的支持；我愈少參與，他們似乎做得愈好，今年十月遠見雜誌又得了一座金鼎獎。更謝謝「天下文化」同仁的協助出版。

謹以這本書獻給所有關心中國前途的人。

一九九三年十二月

第一章

半途而廢的仕旅

日記摘述

「我做行政院長並不是拿了槍桿子逼著李總統提名我，也不是拿了槍桿子到立法院逼他們同意我，還為此放棄了一級上將的頭銜，終身與軍隊脫離關係，這算什麼軍人干政呢？」

「在軍隊帶兵是為士兵服務，一定要得兵心；在社會從政是為民眾服務，一定要能夠得民心。」

「今天我們在金權政治的陰影下，所受到的阻力，必須倚賴這個社會和知識分子的正義力量！」

「品質的提升不只是靠技術，還要靠倫理和紀律。」

「民主是和諧的基礎，不能為了和諧而犧牲民主。」

「我天生對特權有反感，任何人休想在我這裏使用特權。」

「一個中國的政策與原則，是目前維持海峽軍事安全最重要的基礎。」

「我知道因為我是一個外省人，如果我做得積極一點，獨派分子一定會說我出賣台灣；如果做得消極一點，主張統一的人又說太消極了。」

楔子

「守著大膽，就是保衛中華民國的生存！」
「没有金門，就没有台灣！」
「我特別在離開行政院之前，來這裏向大家道別。」
二月的驕陽在台灣本島無法露面，在晴空無雲的離島金門，可以曬得人汗流浹背。但是，這樣的熱浪抵不過行政院長郝柏村一字一句發自肺腑的熱忱。

一寸一地，都有心血

面對四十多年來建設的金門，他向官兵說：「在金門，每走一地，有形無形的設施，都覺得有我的心血，以及過去袍澤們流血流汗的奮鬥犧牲。」

三十五年前，郝柏村戍守小金門，「八二三砲戰」期間，中共發射二十二萬發砲彈，打了四十四天，「樹都打光了，只剩下樹根，」車行路上，他手指著又長出木麻黃的沙地說。

小金門，這個中共迫擊砲就可以打過來的地方，當年每一千平方英尺就落下十三發砲彈；金門砲戰中有一半的砲彈是落在小金門。他帶領戍守的第九師，傷亡最慘重，五百七十八位將士陣亡。

當年，讓郝柏村數秒間可能喪命的碉堡還在；救命的洗手間如今已整修，但桌椅、牀舖依舊。戶外手植的九重葛出奇茂盛，已成蔭頂遮陽。

郝柏村任師長時代就是鄉長的洪福田，端著酒杯對郝院長說：「八二三砲戰時，你堅守小金門，我敬你，希望你繼續維護中華民國的國號。」洪老先生今年已七十二歲。

二年九個月的行政院長任期，郝柏村堅守的，正是這個中華民國和國號。他特別在離任前到金門，也在期勉金門不僅是中華民國的軍事堡壘，「更是中華民國促進民主的政治堡壘。」

沒有金門，就沒有台灣

兩位蔣總統對金門都有深厚的情感。經國先生前後到過金門一百二十三次；先總統蔣公在金門砲戰時，雖被勸阻未赴第一線，卻每天在澎湖隔海遙望金門。

經國先生離世的前半年，仍抱著病軀到金門，最後一別是民國七十六年六月二十一日。把經國先生紀念館建在金門，也成爲郝柏村的心願。

建館時一草一木一物，他都親自設計監督。從進門的銅像和大石頭上的八個字「親切、自然、奉獻、犧牲」，都要能「表現經國先生樸實、自然、親切的性格，」踏在灰白石板上，郝院長細說他的構思。

「把經國紀念館放在這裏最放心，不會有人來拆，」他抬頭望著前方黃色琉璃瓦頂、灰色四合院式的建築。

沒有金門，就沒有台灣。沒有先總統蔣公和經國先生，也就沒有後來的郝柏村院長。

治軍到從政

一生從軍的郝柏村，從來沒想到會以文職結束公務生涯；一生忠黨愛國的郝柏村，也從來沒有想到會有人給他戴上「出賣台灣」的帽子。

八十二年二月二十七日上午十點，行政院長交接完成，他走出行政院大門，面對夾道向他告別的同仁及路旁向他致意的民衆，再堅强的郝柏村，也不禁眼眶潤濕。

在台灣，只有陳誠同時擔任過總長及閣揆。三十年來，郝柏村是另外一位。

不同的是，他內缺黨主席的强力支持，外有反對黨猛烈的攻擊。內外交夾中，他展現了一貫强烈的企圖心和堅定的目標與理念。

軍人本色

當李登輝總統在政局紛爭、治安惡化、投資意願低落、中產階級也想出走的混亂氛氳中，出人意外的提名他由國防部長轉任閣揆時，郝柏村一秉軍人本色：「國家要我到哪裏去，我就到哪裏去。」

軍人不能打沒有把握的仗，面對混沌的政局與立院生態，加上外來「軍人干政」的叫囂，他都毫不畏懼，他事後對人說：「我做行政院長並不是拿了槍桿子逼著李總統提名我，也不是拿了槍桿子到立法院逼他們同意我，還爲此放棄了一級上將的頭銜，終身與軍隊脫離關係，這算什麼軍人干政呢？」

他真正考慮的是：在這個職位上，能不能確實做些事。

瞭解他的人都知道，他從不缺少企圖心與魄力；他自己則清楚：個性太剛直，缺少從政者在政壇與議會間的圓熟。

任內極少稱讚他的李總統，在八十二年二月三日國民黨中常會通過郝揆請辭案後，也以黨主席身分公開推崇他的「公正廉明、貢獻卓著」；郝柏村接受媒體訪問時更坦然承認，執政二年九個月，「良知、抱負、智慧並不差，但藝術差一點。」

從强將到良相，從治軍到從政，郝柏村思考二者之間是否有相同之處。想通了這點，他才能確定自己在閣揆職務上真正能做點事。

他認爲治軍和從政的道理是相通的。

人格至上

他說：「在軍隊帶兵是爲士兵服務，一定要得兵心；在社會從政是爲民衆服務，一定要能夠得民心。」

郝柏村舉曾國藩選將條件爲例，爲將要「才堪治民」，可見治軍將領需具備治民的政治才幹，也證明二者相通的道理。

在總長任內，他特別重視軍事教育。他提出「將領應具備武德」，武德就是孫子兵法中所言「將者，智、信、仁、勇、嚴」。

一個將領應具備智慧，有求勝的判斷力和知彼知己的洞察力；要得到士兵的信仰、長官的信任和自己的信心；一個將領也必有仁愛之心，愛兵、愛國家才能不惜犧牲生命護國護民；勇敢才能領兵作戰；嚴，就是精確遵守一定規格，分秒不差、絲毫不誤的品質管制。

他相信一個偉大的政治家，「也必對世界潮流、歷史興替有深入洞察力」；政治人物更應取信於民，種種措施以愛爲出發點；更要有道德勇氣，「有所爲而後有所不爲」，大公無私，在施政上訂定高標準。

軍事上用兵雖以科學爲基礎，郝柏村則覺得「人格是用兵至高無上的要義」更顯重要。他說：「高級將領的人格必須能爲三軍所信服、能團結三軍，才能邁向勝利成功。」

在接任行政院長後的第一次記者會中，果然就有記者問他：「行政院今後的決策過程，是否受到軍人性格的影響？」他的答覆是，軍事決策過程是最符合科學精神的：確定目標、評估主客觀條件、擬訂對策及方案、分析利弊得失、制定執行步驟，然後順序推動。軍人的性格就是「無私、無懼的全力貫徹，達成目標」。

在以後近三年的院長任內，他就以這一套思維架構與行爲模式推動政務，並時刻强調：「決策錯誤比貪污更可怕」、「浪費時間等於貪污」。

行政院長是全國最高行政首長，他體驗到推動政務的關鍵因素是執政黨的政策方向；個人的從政理念如果與這些政策符合時，不僅產生黨內與全民的共識，也產生一股內在動力，願意爲推動政務全力以赴。

在二年九個月的院長任內，郝柏村曾清晰的規畫出他的施政理念，並强力推動其理念爲政策。理念是以五大主軸相互支撐：安定、民主、法治、建設、統一。

安居·安定·安全

郝柏村甫一接任閣揆，即設定「三安」施政目標——人民安居樂業、社會安定、國家安全。

高掛在他辦公室的「禮記禮運篇」，被他視爲人民安居樂業的最高境界。他在對大專學生演講時也背誦：「大道之行也，天下爲公；選賢與能，講信修睦。故人不獨親其親，不獨子其子，使老有所終，壯有所用，幼有所長，……是故謀閉而不興，盜竊亂賊而不作。故外戶而不閉，是謂大同。」

追求公平社會

十七歲從軍的郝柏村，深受三民主義教育，他說：「三民主義的建國目標，就是要建立一個現代化的民主國家。」

三民主義中的民生主義，更在强調一個公平均富的社會。

他解釋，「公平是要每個人發揮潛能，形成整個社會的創造力。」差距是應該有的，「否則就變成齊頭式的假平等，」但是要如何合理的縮短差距，則是大家共同努力的目標。

他更强調，社會上總有一些弱勢人員，總有一些災變困難使人不能照顧自己，「因此要用社會的力量來幫助他們。」

對於台灣公平社會的兩個基石：教育機會均等、就業機會均等，他相當驕傲。

他常舉例，過去讀書人是一個階級，書是財產；現在有錢也不見得能念大學，而因爲沒錢上不了大學的卻絕無僅有，「這就是社會的進步。」

然而在追求公平社會中，自有重重阻礙。任行政院長期間，他認爲社會不公平的絆腳石至少有三個：

一是「大家把保險和社會福利的觀念混在一起」。這常給政府的施政和社會的公平帶來問題。

「大家以爲出了錢，就要把錢拿回來」，「自己要少出錢，政府要多出錢」的想法，使勞保、農保虧損累累，「最後還是靠納稅人的錢來彌補，」他說若政府財政出了問題，反而會造成了不公平社會。

另一個是社會救濟應該以弱勢團體爲重點。

他在院長任內，幾乎每一個週末都在全省各地走訪，沒有一位院長像他這樣勤跑基層，每到一處，都要參觀地方建設及與民衆相關的福利機構。他指示台北市政府全力照顧所有植物人，到每個醫院都要求增加收容精神病患。他說：「一個家裏只要有植物人或精神病患，全家都非常痛苦；政府如果能把他們集中療養，就可以解決許多家庭的負擔。」

憂心金權政治

在他的觀察，影響社會不公最嚴重的，是「土地政策與稅收公平性」。

「如果納稅不公平，競爭也就不公平，」他指出，政府的責任在查稅，但查稅必定引起當事人反彈。

尤其是遺產稅、贈與稅，一般認爲是「典型的不勞而獲」，但逃漏得厲害。

當財政部長王建煊任內，曾查出好幾位大企業主都個別需要補繳幾億、甚至幾十億的稅款時，郝柏村心裏有數：這些家喻戶曉重量級的大企業家，有他們直接的通天管道，有他們無所不在的人脈，更有他們控制的一些媒體，一定會直接、間接來打擊王建煊。

「打擊王建煊，就是打擊我，」他相當清楚地表示。一位民意代表好意地提醒郝院長：「只有傻瓜才敢碰他們。」

他卻一點也不遲疑，繼續支持財政部嚴格執行「愛心查稅」。

八十一年十月七日，王建煊還是從財經鬥士變成財經烈士，他向郝院長辭職時，據説「聲淚俱下」，不願牽累郝院長。

對於選用爲財政部長前只正式見過一次面的王建煊，郝柏村覺得他「不和稀泥、認真做事」竟得這樣的結果，深爲台灣金權和特權介入政治的低品質痛心。

他對這件事的心情可從這段話顯現：「今天我們在金權政治的陰影下，所受到的阻力，必須倚賴這個社會和知識分子的正義力量！」

頗得民衆愛戴的王建煊，後來決定參選立法委員，雖未得國民黨支持，且受黨內同志打壓，卻在八十一年十二月的立委選舉中，以全省得票率最高、台北市選票最多的雙重榮譽當選立法委員。

這樣的結果，至少給公平正義的社會留下一絲曙光，可惜並沒有引起國民黨的反省。

法治路迢迢

郝柏村常常轉述這一則吳伯雄朋友的故事。

有一次，吳伯雄坐友人車，經過第一個紅燈，車子「咻」一下衝過去；經過第二個紅燈，車子又「咻」一聲開過去；經過第三個，是綠燈，車子停了下來。

吳伯雄就問這位朋友：「這是綠燈，你怎麼反而不走了呢？」友人答說：「我怕別人闖紅燈啊！」

台灣的人民不守交通法規早已成爲世界笑話。郝柏村從紀律嚴明的軍旅跨入五花八門的政壇，對法律不健全、不合理，體會更深。

民主政治，不打折扣

在他的思考架構中，民主與法治是國家發展的準繩，也是維護全民尊嚴的天秤。在推行的時候，不能打折扣。

在政府與民間共同努力推行民主與法治時，首先要克服的是眼前「有民主、少法治」的失衡現象。在這一失衡之下，社會上就容易產生羣衆脫序事件、金權勢力蔓延、利益團體突出。這種情況進一步影響了社會的安定，更損害了社會的公平。

他認爲：「法治可以從生活周邊的事例開始。」有一回，他對路邊停了報廢車，警察不處理很不理解。後來同仁告訴他，法律規定：要過三個月或六個月才能處理，否則警察就違法。

他試圖將法制的情、理、法次序，改變成法、理、情。使「法」有其功能、使「理」有其準繩、使「情」有其分寸。

他上任二個月時，宣布了一道ＫＴＶ營業只准至凌晨三點的命令，這件事讓他認清在這多元化社會中，推行一項小小的政策都不易。命令是根據違警罰法，但引起了業者的強烈反彈。在他的想法中，半夜三點還不回家是極不尋常的事，當時正逢整頓治安，ＫＴＶ被列入特定注意的十八種行業之一，給與限制，應被大衆所接受。

台北市地攤爲患，交通違規罰單堆積如山，過去是追了一次不繳，就不再追繳；他知道以後，立刻下令「追出結果」。

「解嚴以前，就該把所有的相關法律修訂好，」郝柏村不諱言法律的嚴重落後。立法院爭吵不斷，法案大塞車，需要配合現代社會運作的法令不能及時修正，常常使得行政部門乾著急，甚至根本束手無策。

對立法院二讀通過的法案，他在閣揆任內曾二次引用憲法五十七條提出覆議，創下了行政與立法部門公開較勁的紀錄。

儘管在當時微妙的政治生態中，要求覆議，可能引起倒閣，他仍然無懼。這二個案子，一是勞基法八十四條修正案，一是立法院擁有調查權案。

對於法治精神，郝柏村另有一番詮釋，他舉日本、德國爲例，守法和守紀律是生活品質的一部分。日本、德國產品品質好，是整個社會品質好之下的產物，守法是其中重要的一環。

他常說：「品質的提升不只是靠技術，還要靠倫理和紀律。」他所謂的紀律，其實就是法；守紀律，就是守法，法治也就是制度化。

制度不周，釀成心結

也正因爲制度的不周延，產生了府院權責關係的模糊，演變成李登輝與郝柏村的心結之一。

八十一年春夏之際，總統府副祕書長邱進益爲李總統訪問中南美洲，可能「順道」訪問美國、日本做高層次的安排，外交部鮮有人知，行政院長更毫無所悉。後來中南美洲訪問取消，主要是因爲日本與美國對中華民國總統的訪問不能做合適的禮遇。

八十一年十二月三十日，國防部長陳履安被提名爲監察院長時，身爲行政院長的郝柏村也是當天才從報紙上的大標題中獲悉。早已被告知的陳履安則在當天上午才親向郝柏村說明。

這個需經行政院長副署的任命，郝柏村事前毫不知情，他深覺中華民國距離現代化制度太遠太遠。

八十二年一月十九日，郝柏村辭職前夕，繼論情西餐廳燒死了三十三人之後，另一場ＫＴＶ縱火案又燒死了七人。

由於違規營業，台北市長黃大洲引咎辭職。一位立委私下建議郝院長：「辭職照准，或者記他大過一次。」郝院長說：「正因爲我要離開這個職位，我不能這樣做。」

對李總統賞識的首長，包括當時罹病的農委會主委余玉賢、引起法律糾紛的張建邦、頻受立院抨擊的簡又新、一再發生事故的台北市長黃大洲，以及公認缺乏彈性的陸委會主委黃昆輝，按照制度，行政院長都有裁決處分的權力，但郝柏村反而表現極大的自我克制。他認爲這是對總統的尊重。

無慾則剛

在衆多場合，郝柏村一再說：「己意即民意」的時代已經過去。要締造一個法治社會，必須要有三方面的配合：健全的法制、行政人員的執法能力，以及人民守法的精神。

郝柏村特別要求擔任公職的行政人員，面對金權與特權的壓力，須有執法的勇氣與執法的能力。公務員必須要在法律的公平原則下，執行公權力，使守法者不吃虧，使玩法者不能僥倖。

只有嚴格執行公權力，才能推動施政進度表，才能增加民衆對政府的信賴度，以及反應社會的公平感。如果公務員不優先考慮自己的利害、得失、毀譽，就能成爲一個「面對壓力，仍能堅持立場」的公務員。

郝柏村相信，「無私無我」就會「無慾則剛」。

不健全的民主

是對李總統（李主席）「獨自裁決」有特別切身的體驗，也深切感受民主是擋不住的趨勢，郝柏村近年來在各種場合强調民主化、法治化和制度化。

他譬喻民主政治是單軌行駛的火車，只能向前，不能後退。辭職之後，爲了國民黨十四全的「當然代表」問題，他率直地說：「民主是和諧的基礎，不能爲了和諧而犧牲民主。」

他在二月辭去閣揆事件的思考中，也是以尊重立院選出的新委員的權利爲考量，他認爲：「民主制度要建立，民主政治要實踐。」

在他任內，對所屬部長的充分授權與信賴，更爲歷任閣揆所罕見。例如他對經建會主委郭婉容草擬的「六年國建」、教育部長毛高文提出的「教育改革方案」、財政部長王建煊批准十五家新設銀行、經濟部長蕭萬長推動的經貿政策，儘管有些具有敏感性與爭議性，他的想法卻是公務員應該「多做不錯，少做多錯，不做大錯。」

賄選更是黨紀問題

在他從政的二年九個月中，親身體驗到民主政治的黑暗面：金錢和地方派系介入選舉、國家認同出現危機和殘缺的政黨政治。

他常拿「槍彈與銀彈」作比喻，他說，過去大家擔心「軍人干政」，以槍彈取得政權；現在銀彈賄選，「無異於槍彈」，金錢介入選舉、參與政治，「是一樣的可怕」。他認爲「賄選不只是法律問題，更是黨紀問題」，賄選花招防不勝防，政黨要確立乾淨選舉的決心和政策，才能使社會有品質良好的選舉。

參與八十一年底立委黨內提名作業，他對陳癸淼提名事件記憶深刻。陳癸淼是澎湖縣的國民黨立委，素來表現不錯，照理應該只提名他一人，穩定當選沒有問題。但是黨內提名時，冒出來一個林炳坤。據說他家很有財勢，又有張榮發、陳重光等企業人士替他助選；層峯也對他頗爲器重。

但深入瞭解，林炳坤在澎湖灑下巨資，送相機、買選票，被認爲是「金牛加賄選」，提名這樣的人選，對執政黨的形象絕對不利。

國民黨內部在這件事上卻意見不一，郝柏村主張「提名陳癸淼一人」，黨中央決定「開放競選」。最後連總統府祕書長蔣彥士協調都未有結果，仍採「開放競選」。

選舉中又有「軍隊介入」、「軍隊中立」的傳聞，到底海軍總司令有沒有私自下達指示協助林炳坤，然後收回成命，至今還說法不一。

不過最後林炳坤落選，陳癸淼當選。四個月後中油弊案爆發，林炳坤因涉案被警方扣押；李總統在革命實踐研究院內部談話中承認「被騙了」。這都足以證明金權和特權介入選舉過深，嚴重到是非不分，使國民黨的形象再次受到重創。

撇開台獨意識不談，郝柏村對民進黨要求被提名人士乾淨競選，甚至不惜除名有賄選跡象的黨員林文郎這一點，「我是很佩服的，」他相當肯定。

他也對幾位民進黨員，如陳水扁、彭百顯、謝長廷的認真問政，相當尊敬。

在他眼裏，除了乾淨的選舉，更要有成熟的政黨政治以及黨內民主。他任內首開「黨政協調會議」，每週把行政院的議案向立法院做一報告溝通，取得立法委員的支持。

不循私，反特權

「在立法院內，反對行政部門的往往是執政黨的黨員，這是一件很不正常、一般民主國家少有的事，」他深深體會到立法院，尤其是執政黨立委，要共同協助推動政務，千萬不能浪費公務員的時間，浪費老百姓的金錢。

他堅持總質詢不超過十次。八十年二月總質詢，他因不滿程序發言過久，使質詢遲遲不能開始，「我們走，」手臂一揮，率全體閣員一起退席。

這件事引起立委不滿，卻博得民衆的喝采。

行政院與立法院之間關係緊張，是和郝柏村是非分明、不循私情、反對特權關說，有極大的關係。

過去，民意代表關說，行政部門「忍氣吞聲、敢怒不敢言」；藉包工程、搞特權施惠迎合立委的官員在所難免；「甚至養成立委予取予求，」一位政治記者長期觀察。

郝揆主政，他的「不討好、不賣帳」性格，「使得任內沒有收到過一封關說信，」他自承：「我天生對特權有反感，任何人休想在我這裏使用特權。」

擁有五十七年黨齡的國民黨員郝柏村對黨自有殷切期望。他認爲影響政黨政治正常運作和民主品質的二大問題是：國民黨的金權掛勾和民進黨的國家認同。

他說，如果國民黨員不是以思想、主義相結合，而變成利益結合，「不可能有精神上的團結」。他也直言：國民黨兩次的挫敗，包括民國三十八年大陸淪陷，「都不是敵人如何强大，而是自己不爭氣。」

深被省籍情結當做箭靶的郝柏村，經常呼籲「大家都是台灣人，大家都是中國人」。

他說，中國人地域觀念一向很强，當年國父遺教明定中華民國首都爲南京，但民國三十五年制定憲法時，北方人要定都北京，南方人要定都南京，最後爭執不下，憲法中就省略了這一項。郝柏村說：「這就是地域觀念，但不論在哪裏，還是屬於中國的。」「現在，把地域觀念和國家認同視爲一體，就變成了省籍情結。」他認爲，要把一個地區變成一個國家，就形成嚴重的國家認同問題。

在任何一個民主國家，不同的政黨可以有不同的內政理念和政策，但絕無不認同這個國家的，「反對黨不認同這個國家——中華民國，這給我們政黨政治帶來嚴重的危機，」他說，美國有兩大黨，還有共產黨，但「沒有任何一個黨是要革命推翻國家的。」

實際行動建設台灣

「真正愛台灣的人，是要以實際行動來建設台灣，而不是靠口號說愛台灣」，這是郝柏村推動「六年國建」的一項最基本的信念。

上任半年，於整頓治安、掃除地下經濟、查稽逃漏稅一連串的行動後，郝柏村展開了建設台灣的重大工程。民國八十年二月，他在立法院宣布進入民國八十年代，他要將西方人稱爲「焦慮的年代」，在中華民國變成「脫胎換骨的年代」。

「六年國建的基本思想，和我八年參謀總長建軍的思想是一致的」，這位大半生在軍旅的軍事專家常常拿軍事的例子來比喻政治，軍隊建軍不是今天有錢買飛機、明天有錢造軍艦，臨時作決定，而要有長遠的判斷，至少二十年。

他認爲「建軍思想如果錯誤，整個計畫都將白費」；他舉例，第一次世界大戰後，法國人認爲只要建堅固陣地，德國人就打不過來，他們花了二十年建馬奇諾防線，結果大敗；這和中國人建萬里長城防匈奴一樣，是錯誤思想。

二次大戰時，日本也犯了同樣的錯誤，他們建了兩艘最大主力艦——太和、武藏，也就是「巨艦大砲主義」，没想到英美航空母艦的發展，改變了整個海戰思想。

七十八分主義

六年國建的最終目標，是要建設台灣成爲一個現代化的地區，而鎖定「六年」，也是郝柏村希望藉此彰顯李總統六年任期中的建樹。

在進行過程中，當然阻力重重。不過郝院長總是舉經建會主委郭婉容的「七十八分主義」來勉勵大家。

郭主委說，我們許多政策都要做到一百分才滿意，其實權衡一下，能做到七十八分就可以了。

郝院長則認爲，誰敢保證一百分，但不做就是零分，「能做到七十分，甚至六十五分我就滿意了」。

過去基隆河的截彎取直工程吵了十多年；台北市的捷運系統，地下與高架也爭了二十年。結果「大家怕批評，沒有道德勇氣，沒有承擔，那就不做，不做最後是零分！」

他對外一再強調，「六年國建不是錢的問題，而是行政效率的問題，」實則是貫徹執行的決心問題。

在深入基層瞭解地方的過程中，他發現過去的建設，零零碎碎，缺乏整體。

他常以永和市爲例，「總是在挖馬路，」因爲今天弄水管，明天裝瓦斯，沒有一個整體長程的規畫。

柴契爾夫人來訪，第二天就問郝院長台灣都市規畫的問題，郝柏村一方面佩服這位鐵娘子的敏銳觀察力，一方面更爲台灣都市計畫汗顏。

他深覺，六年國建其實就是「一個大的都市規畫」：台灣南北長三百多公里，縱以高速鐵路，橫由十二條快速公路，把台灣畫成十八個生活圈。

「這個計畫完成，住在台灣的任何家庭，半個小時車程內，可以就業、可以上學、可以就醫、可以休閒……。」他爲台灣未來畫出一個理想的藍圖。

反覆溝通，推動建設

這個規畫要達到幾個基本目標，一是均衡區域發展，二是提升生活品質，三是提供有利的投資環境，四是增加國民所得。

「六年國建並不表示六年內都要完成，」他解釋，只要開始，就有成果，總有完成的一日。這也就是他一貫「不做就是零分」的哲學。

面對「六年國建」遭受好大喜功、華而不實的批評，他經常利用多種場合，反覆說明推動國家建設的四大效益：

- 用全球競爭觀點，來樹立發展標竿。
- 激發全民對長期建設的關心。
- 以整體觀念及前瞻眼光規畫藍圖。
- 一切施政必須落實到基層。

他再進一步指出，「六年國建」是一個綱要性的列舉，細部計畫必須再經預算程序後核定施行；也是一個需要隨預算及實際執行狀況而逐年修正的計畫。

郝院長原先希望有六年的時間來推動這些重大計畫，可以在李總統任內逐步使台灣成爲西太平洋地區國際金融中心、交通轉運中心及科技重鎮。

隨著郝院長與郭主委的離職，六年國建正面臨著另一波的考驗。

統一的道路步步艱

有人形容郝柏村的政治理念，就像當年美國總統雷根一樣——簡單明瞭，黑白分明。

所不同的是，即使雷根做錯了什麼，還獲得美國輿論的容忍，而郝柏村即使做對了很多，仍然受到一些反對人士的嚴厲批評。

嚴厲的批評，甚至惡意的攻詰，主要是針對他不能容忍「台獨」和堅持「一個中國」的立場。

一位民進黨人士形容：「像鬥牛場一樣，只要亮出『台灣獨立』的紅旗，郝柏村就會不顧一切地衝過去。」

郝柏村黑白分明的性格在這件事上尤其清楚，他說：「國家認同的事一定要清清楚楚，不允許模糊。」

愛台灣，反台獨

他在接受訪問時，一再重複：「我反台獨，才是愛台灣。」因爲台獨會帶給台灣最大的災難，「這個問題很清楚，沒有辯論價值。」

因此，他從未接受「碰到這種問題，就找內政部長吳伯雄及外交部長錢復去答」的建議，議場如戰場，他認爲統帥不能臨陣退怯，總是自己站在第一線。

「一個中國」更是郝柏村的基本信念。

「一個中國的政策與原則，是目前維持海峽軍事安全最重要的基礎，」不論在國統會，或是公開演講，他總是這麼明確地表示。

深諳四十年來兩岸政治與軍事對壘的郝柏村認爲，過去中華民國已爲「一個中國」付出了相當的代價，包括不惜退出聯合國；現在，中共並未承認台灣是一政治實體，也未放棄以武力解決台灣問題，如果我們不堅持「一個中國」，給與中共「一中一台」的誤會或藉口，後果將會影響二千萬人的福祉。

他對「一個中國」的涵義，在國統會中曾有明確的注解：「現在是分裂的中國，將來是自由均富統一的中國。」

他也深知，兩岸關係存在著兩個結：一是中共與我們對等原則的心結，一是島內的省籍情結。

自八十年五月取消動員戡亂時期臨時條款後，我們已承認中共是一政治實體，但是中共至今並不承認中華民國在台灣這個政治實體的地位，「我想這個結一時解不開，兩岸官方接觸或三通，都還相當遙遠，」他說得很清楚。

台灣內部把省籍和統獨畫分得壁壘分明，是令郝柏村及很多人擔心的。

在他院長任內成立了陸委會、海基會，他個人又是國統會的副主任委員，但是郝柏村卻很少對大陸政策公開表示意見。

不發表意見並不表示他沒有意見，他卸任後曾公開說，「我知道因爲我是一個外省人，如果我做得積極一點，獨派分子一定會說我出賣台灣；如果做得消極一點，主張統一的人又說太消極了。」因此，他認爲在內部尚未建立共識之前，「多說話或多指示，都沒有意義。」

失望，但依然容忍

他對陸委會與海基會之間的磨擦時有所悉，深知陸委會主委黃昆輝所加予海基會的各種限制，有些他本人並不同意；對陸委會其他主管的一些發言，更認爲「有失分寸」。

當陳長文辭海基會祕書長時，他告訴陳長文：「我同意你辭去祕書長。」這個「同意」是惋惜，也是無奈。他已意識到，在兩岸關係上，省籍的懷疑動機論已使福建籍的陳長文難以施展長才。

當接任的本省籍陳榮傑祕書長再提辭呈時，郝院長是「請求陳榮傑不要辭職」；行政院直屬的陸委會，連行政院長也管轄不了，其中內情真不足爲外人道。

八十一年二月二十一日，海基會董事會通過決議，要求行政院褒獎對創建海基會有功的陳長文祕書長，這個決議文要經陸委會轉呈行政院長核定。雖經行政院祕書長王昭明關切詢問，這件公文至今始終未出陸委會大門。

基於對陸委會權責的尊重，雖然郝柏村失望，但依然容忍。

或許是有從大陸轉戰台灣、半世紀爲護衛中華民國而戰的體驗，郝柏村對兩岸關係較能從歷史的角度去觀察和有務實的看法。

三百多年前閩南同胞來台、中日甲午戰爭割台予日，以至四十多年前國民黨自大陸撤台，郝柏村皆有深刻的體察。

他說，假使民國三十八年，老總統沒有帶著六十萬國軍與一批有才幹的知識分子到台灣，沒有經過金門古寧頭戰役、八二三砲戰的勝利，「今天台灣同胞老早就同大陸同胞受到同樣的命運。」

「在台灣的中國人的命運，都是由於中國大陸情勢變化產生的，」台灣和中國不可能脫離而不產生任何關係。

「對於大陸，你可以想把它甩掉，可是它有力量讓你甩不掉！」他解釋兩岸關係不同於德國和韓國。

他曾在國統會上，對主張參考兩德與兩韓模式的康寧祥說，中國的分裂基本上和他們不一樣，「他們分裂是國際因素造成，我們是內戰的結果。」兩德、兩韓的人口、土地面積相差不大，台灣的土地面積不到大陸的三百分之一、人口是他們的六十分之一，「在對比上，中共政權一直到今天仍不認爲我們是一個政治實體，就是基於這種心態。」

由於這種態勢，他認爲國統綱領主導兩岸關係發展過程中，要有彈性，因爲每件事都是錯綜複雜，「不是我們一廂情願的訂出步驟，就能逐步實現」。

不計權位，但論是非

在海基會與海協會對「一個中國」形諸文字意見不同，而請國統會討論時，他更清楚表示：「無論在任何文件上，我們不能讓別人、讓對岸、讓海外，對我們『一個中國』的政策有所懷疑。」

會議當時坐在右手邊的李登輝總統，始終低著頭，不時皺著眉，表情嚴肅。「一個中國」的政策，不僅畫清了國民黨與民進黨的政綱，也因爲國民黨內當權派與非當權派對這個政策解釋的不同，而減少了彼此的互信。

當有人告訴郝柏村，北京方面私下透露，曾有好幾位大家熟悉的海外學者自稱是代表李總統去傳信，告訴他們：㈠李總統不會搞台獨，北京可以放心；㈡郝柏村雖然反台獨，但更反共；㈢主導大陸政策的是李總統，不是郝柏村。郝柏村從不置評，也決不允許任何人代他傳話。

每每遇到這種「一個中國」的爭論，郝柏村的一些民間朋友就會勸他：「不要爲這種一時無法解開的中國結，引起與李登輝總統的誤會。」郝柏村的答覆總是：「不要計較權位，要計較是非。」

不成功的命運

府院之間，一開始就注定了不會成功的命運。

李總統，一心要走出經國先生的陰影，他有自己的治國理念；郝院長深信，支持李登輝就是追念蔣經國，他期望李總統行事、待人，一如經國先生。

李登輝選擇郝柏村，是過渡，是不得已；郝柏村承命組閣，卻要實在能做事，絕不和稀泥。二年九個月期間，李總統得到天時、地利及大部分人和；郝柏村想做事，卻有孤掌難鳴的落寞。理性上贊同郝的人不少，感情上支持李的人更多。

肝膽相照，理應共同爲建設台灣而努力，可惜心結重重埋下疑忌的火種。二人有足夠的溝通時機，卻未開誠布公的論事，終至不可收拾。

在是非不明、敵友不分的權力結構中，郝柏村講求大是大非；在省籍情結陰影籠罩下，郝柏村維護憲法內閣制精神；在民進黨致力鼓吹「台灣獨立」下，郝柏村孤軍奮鬥「一個中國」。

郝柏村的離職是個人悲劇？是國民黨的悲劇？還是中國的悲劇？也許不出幾年，就會得到一個明確的答案。

走出八二三戰史館，也走出一段輝煌的軍旅生涯，迎接的是閣揆任內的風風雨雨。

儘管已轉任文職，在視察金門大膽島時，仍舊英氣煥發。

八二三砲戰時期，經國先生常在此石塊嶙峋的碉堡內商議軍機。

郝院長精心安排經國紀念館中的一草一木，面對經國先生的塑像，更懷念他的樸實自然。

第二章

經國先生走後

日記摘述

「經國先生打算讓本省人做副總統，行政院長還是由孫運璿做。經國先生的意思是孫運璿再做六年行政院長；他很有信心，總統他先做兩任，他不做了，讓孫運璿做總統。但是沒有想到孫運璿病倒，整個布局就亂了。」

「美國或者很多其他地方說我是軍事強人，懷疑經國先生過世，我會軍事政變。經國先生老早在國民大會上講過：『今後不會有軍事統治。』他這話同我講得很清楚，『依循憲法，不要發展成歷史的錯誤。』」

「經國先生晚年的時候，可以說國防軍事上的事都完全授權給我，但我並沒有濫權。」

「大家也在猜測副總統應該是誰？我也不想做副總統，我總想做副總統應該是做過行政院長當中去找一個大陸籍的人。我們想像中，副總統人選應該同大家交換交換意見，可是他沒有，這是二月政爭的主要原因，有人不服氣。」

「行政院組閣完成以後，我記得很清楚，我就同李總統講，總統有什麼事情找部長指示，隨時都可以的，只要總統叫他回去同我講一聲就可以，讓我瞭解可以照著總統的意思做。我這話是很誠心的。」

一月十三日這一天

經國先生晚年的身體比一般人想像的差很多。

他絕少出門，出門總是走固定的路線：從大直官邸到重慶南路總統府，從總統府辦公室回官邸。

大多數時候他都躺在牀上，坐還可以，走路已舉步艱難。能夠和他直接接觸的人並不多，定期見面的，大概只有總統府祕書長沈昌煥、國防部長汪道淵、行政院長俞國華、參謀總長郝柏村，還有現任故宮博物院院長秦孝儀。

當時主管軍事的郝柏村每個禮拜要到大直官邸去一次，每次見面談個把鐘頭。就拿把小凳子，坐在經國先生牀邊，向他報告國軍人員培訓計畫、預算制度進程、武器更新進度、ＩＤＦ研發、飛彈製造、Ｍ48虎型戰車生產、佳山計畫進行……等。

經國先生對郝柏村十分信任與器重，授以治軍建軍大責；參謀總長八年期間，他和經國先生談話報告事項大小有二千項。

後來，經國先生除了國防軍事以外，別的事也找他談。

孫院長生病，打亂人事布局

對繼承人的問題，經國先生晚年思考良久，也徵詢過一些大老意見，早有部署。「當時經國先生計畫副總統爲本省籍人士，行政院長還是由孫運璿做。經國先生的想法是，孫院長做六年院長，他自己很有信心總統做完兩任，他不做了，就讓孫運璿接著做總統。」郝柏村追述經國先生的布局。

民國七十三年二月二十四日凌晨，孫運璿院長突然腦溢血中風，整個領導階層布局大亂，人事改觀。俞國華接任行政院長，李登輝轉爲經國先生的接班人。

接近經國先生的人大都瞭解，他雖威權在握，對重大決策仍一一徵詢各方意見。在決定副總統人選時，他曾和孫運璿、黃少谷等黨國大老充分交換意見、反覆討論；即使在任命孫運璿爲行政院長前，也親自和他在金門長談過一天一夜。

提名李登輝爲副總統，經國先生也問過郝柏村的看法，時任參謀總長的郝柏村，與李登輝往來不多，他回答說：「我沒有什麼看法，李先生是個學者，是博士，信仰宗教，每年我請他吃個飯，覺得他蠻客氣的。」

經國先生最後的兩年，糖尿病嚴重，眼睛退化很多，但是腦筋相當清楚，記憶力極好。選定了李登輝後，他不忘提醒身邊的人：多與李先生交往。

「對於軍事上的很多問題，經國先生有時告訴我：常同李副總統來往。」郝柏村回憶，每年他都要邀請三軍將領與李副總統夫婦聚餐；自國外訪問歸來，也都向李登輝報告。

四點鐘的電話

民國七十七年一月十三日，郝柏村正在北投復興崗政戰學校開軍事會議。兩天前的晚上，經國先生和他談了一個多小時，還準備十四日早上親赴軍事會議中講話。

下午四點左右，郝柏村接到一通經國先生的機要祕書王家驊的電話，要他馬上到官邸。他立即預感一定是經國先生身體有異；但萬萬沒想到趕到官邸時，經國先生已經走了。

除了家人、侍衛外，郝柏村是第一位到的，接著沈昌煥、秦孝儀、李登輝、俞國華、李煥……陸續抵達。「走得太突然，樣樣事都還靠他決定的……」無依的感覺頓上郝柏村心頭。誰能相信，十九天前，經國先生還坐著輪椅參加行憲紀念大會；十三天前，他仍勉力主持開國紀念儀典。

忍住哀傷悲痛，更重要的國家大事仍待安排處理。

一月十三日下午六點五十分，國民黨中央黨部祕書處發出緊急通知，召開臨時中常會。

座落台北市仁愛路上的執政黨中央黨部，燈火通明，全國政要齊集的中常會上，主席俞國華宣布蔣經國總統逝世，由副總統李登輝繼任。時間是民國七十七年一月十三日晚上七點。

八點零八分，繼任的李登輝，在司法院長林洋港監誓下，依憲法宣誓接任中華民國第七任總統。這關鍵性的一幕，透過電視轉播，全國、全世界的人都得知中華民國的傳嬗。

距經國先生離世僅約四個小時。

要支持李總統

出身官邸的郝柏村和秦孝儀，馬不停蹄地勘選經國先生靈柩暫厝之處。內湖五指山公墓、慈湖，都去看過；最後選定了大溪——它的樸實，是經國先生最喜愛的。

李登輝上任總統的第二天，也是經國先生過世第三天，追隨二位蔣總統多年的郝柏村，建議李總統到慈湖謁陵，和去士林官邸看望蔣夫人。他並親自在慈湖等候。

對新任總統，郝柏村是以過去對待經國先生的心意對待他，也希望李登輝領導國家，就像經國先生一樣。

「郝總長不但自己做到，還三次告訴我：第一，李總統是經國先生拔擢的人，効忠李總統，就是効忠經國先生，」曾任陸軍總司令的黃幸强坦率地說，「第二，所有陸軍的活動都要向李總統報告，使他和黃埔建立關係；第三，要我告訴高級將領們，李總統是中華民國憲法產生的總統，軍人要服從領袖。」

在經國先生過世，李登輝接任的平穩政權轉移過程中，軍方確實扮演了穩定時局的角色，「美國或很多其他地方的一些人說我是軍事强人，懷疑經國先生過世，我會軍事政變。經國先生早在國民大會講過：『今後不會有軍事統治。』他這話同我講得很清楚：『依循憲法，不要發展成歷史錯誤』。」郝柏村毫不諱言，經國先生授給他極大軍權，但他絕不會濫權。

代主席曲折

强人過世，台灣的秩序一切如常。

軍方發言人宣布，全國官兵停止休假；行政院決議國喪期一個月，停止請願、集會遊行；情治單位召開會議，研議全國安全戒備。

民間的生活沒有改變，國際機場照舊人來人往，做生意的小販只關心自己的生意起落；一位老榮民站在中正紀念堂台階上呢喃著：「沒有什麼好擔心的，有憲法做我們的根本。」

憲法的確是國家的根本。依憲法，李登輝順利繼任中華民國總統；依憲法，軍人捍衛國土、保護元首。

黨的運作，則是憲法外的另一章。

依憲法規定，國家不可一日無元首；依黨章規定，黨主席的選舉要透過黨員代表大會。中華民國有副總統，中國國民黨卻沒有副主席。

經國先生在世時，並沒有在黨主席上特別安排接班人，一位黨國大老說：「經國先生從來沒有意思把黨權交給李登輝。」他分析，當初經國先生不能主持中常會時，多請嚴家淦先生代理；嚴前總統生病後，是由中常委輪流主持。「我看他也不希望把黨政軍權交到一人手上，使大權獨攬，」這位人士說。

誰來接任代理黨主席，成爲國民黨高層政治人物關切的焦點。

鞏固領導中心

就在一月二十日，要開中常會了。各種意見浮現，有人主張行政院長俞國華出任代理黨主席；黨部高層人士包括祕書長李煥、副祕書長宋楚瑜則傾向「爲了鞏固領導中心，請總統兼黨代主席」；軍方則保持沈默，不參與。

一月二十日的中常會後來決定暫停，暗地裏各派意見人士醞釀動作卻未停止。

一月十六日，台北的合衆國際社突然發出一則電訊，指出「三十一位中常委中，有『壓倒性多數人』支持李登輝出任代理黨主席，而不願見其他元老出任黨主席。」

第二天，中國郵報率先刊出這則新聞，第三天自由時報再跟進；同時立法院的連署、中國時報的社論均相繼呼應。

「鞏固領導中心」幾乎與「推選李登輝爲代主席」畫上了等號。輿論、民意代表都在一片看好聲中。李登輝在民衆和政界心目中聲望達到顛峯，他甚且被塑造成終結威權時代和保守傳統的代表。

這股推舉李登輝代主席的勢力，由祕書長李煥領軍，三位副祕書長宋楚瑜、馬英九和高銘輝分頭奔走中常委連署。

沒有一位中常委有異議，正式的結果就準備在一月二十七日中常會上呈現。各大報都刊出要推選李登輝爲代理黨主席。

來自士林官邸的一封信

前一天晚上，來自士林官邸蔣夫人的一封信和一通電話，在推舉平波中掀起大浪。據說，當時蔣夫人並不是反對李登輝任代主席，只認爲一切要循正常程序來，因此寫了一封信給李煥，希望暫緩推舉代主席。

由於事關緊急，據說當晚知情和商量的人士並不多，李煥和俞國華商討的結論也趨向照原計畫進行，事後向蔣夫人請罪。連中常會輪值的主席余紀忠和副祕書長宋楚瑜，都是當天中常會前才獲知蔣夫人的信。

推舉代主席提案人是俞國華，他最清楚這個案子的重要性和迫切性。然而坐在列席人位上的宋楚瑜心急如焚，突然要求發言，陳述推黨主席案如不提出，「對黨、對國傷害一天大過一天」、「多拖一天，多對不起經國先生一天」，然後憤然退席，留下在場中常委一片愕然。

事後，有一位中生代中常委指出，宋楚瑜太急切，急於「表功」，甚至說：「他不提，別人也會提。」

也有老一代中常委認爲宋楚瑜踰分，本來按部就班的事，一定會按程序做到，「他又不是中常委，他憑什麼退席？」

軍方不介入

軍方對這件事仍然保持一貫的不介入。身爲中常委的郝柏村，在黨方要求連署推舉代主席時，持全力支持的態度，他認爲自已是局外人，凡是對國家有利的事就該做；「鞏固領導中心」在當時對國家穩定與安全是至要的大事。

由於和蔣家的淵源深厚，郝柏村也覺得對蔣夫人的信應該有個回音，不好不理不睬。

代理黨主席事件的背後，錯綜複雜。一位全程參與的當事人私下透露：「在適當的時候我會說出全盤真相。」

從武將到閣揆

民國七十九年，農曆庚午年，是動盪不安的一年。

這一年，接任蔣經國後續任期的李登輝，要獨立面對國民大會的選票挑戰，成爲真正被選出的「中華民國總統」；要決定內閣組合，戮力建設台灣；要確定國家方向，推展治國理念。

但是，事情没有想像的那麼順暢。

二月，副總統提名，引發了國民黨遷台以來最大的政爭。

贊成李登輝提名李元簇的人認爲，總統挑選副手，理應以能與他配合爲要件；副總統的提名權與決定權當然在總統手上，否則「這個總統是做假的？」

持不同意見的人則認爲，做事要有一定程序，合情、合理、合法。一些黨國大老則認爲，即使過去經國先生處理這種大事，在他所處的威權時代，尚且要與一些深受尊重的人士諮詢商量，「聽聽大家的意見，包括當時選李登輝做副總統。」

政治紛爭開始

「大家也在猜測副總統應該是誰？總想，副總統應該是從做過行政院長當中找一位大陸籍的人。想像中副總統人選應該同大家交換一下意見。可是他没有。」郝柏村提到，「這是二月政爭的主要原因，有人不服氣。」

另外，軍人出身、深受二位蔣總統培植的郝柏村，對當時台獨囂張，在高雄和板橋，有人要拆老總統的銅像，而政府決策人士一句話也不講，頗爲鬱悶。

他認爲，無論如何，李登輝是經國先生提攜的，幾十年來二位蔣總統對台灣的貢獻，「維護二位蔣總統的聲望，不應視若無睹。」

由於李登輝總統決定重要人士缺乏制度化以及没有維護二位蔣總統名聲，引起爭議，是後來紛爭的根源。

七十九年三月，國民大會開會，陽明山上老少代表爭權，震怒了山下的知識分子。學生開始圍坐中正紀念堂，日日夜夜，愈聚愈多。「野百合」插起來；教授、部長，連行政院長都來過，還是無法將學生勸移。

民進黨趁勢在對面搭起柗子呼應，使得這場靜坐的政治氣氛變得極不尋常。

借力使力

放眼可以望見的總統府，李登輝也不能坐視學生不理。一個黃昏，他的黑色轎車緩緩駛進中正紀念堂，繞場一週，他默默地檢視這羣抗議的年輕人。

事後有人推測，他的借力使力策略，在這場學運中得以施展。

一位史學研究所學生以筆名在報上追記：「三月學運的方向，正是當局所期望的。李登輝正愁著如何應付老少國代的勒索；學運的發生，正好幫了他順勢拒絕國民大會的脅迫。」

召開「國是會議」，是李登輝總統對學生和知識分子的回應。他的治國理念也可順著這個風向推動，而他所憑藉的，正是一股可用的民氣。

五月初，總統新任後是否更換閣揆，引爆另一場風波。

立法院主掌閣揆同意權，擁護李煥留任的立委聲言已連署一半的立委，他們認爲：「過半數立委支持李煥，代表新閣揆人選明朗化，無第二人選。」另一批不同意這個看法的立委則堅稱：「即使是全部立委連署李煥留任，仍要看最後李登輝總統的提名人。」

企業外移、社會不安

年初以來上層政治的不穩定，使穩定台灣社會生存的企業界也忐忑不安。勞資糾紛、自力救濟的圍廠事件一個接著一個，政府使不出力量來解決；企業深覺成本提高、經營困難，紛紛出走國外。

以台灣第一大企業台塑爲例，六輕一拖經年，國外和中國大陸頻頻以優厚條件利誘；王永慶發表「留根論」，正表示企業不得不走的痛心。

儘管工業局長楊世緘保證這一年的六月，「五輕一定動工」，六輕就有望了；台塑總經理王永在卻不那麼樂觀。他說，「中油是國營事業，面對居民反對都要投票，投票結果還是反對；台塑是民營企業，更難逃此劫。」

「反對勢力抬頭，政府難以執行公權力，是企業卻步的環節，」王永在直指問題核心。

社會治安惡化、移民大增的傳聞不歇。

彰化縣立委許張愛簾告訴行政官員，她不敢回家，因爲道上的「黑牛」正在追殺她。企業老闆們，有的買計程車當私家車，有的自己權充司機，讓真司機坐在後座，免得被綁票。

報紙接連刊出，婦女白天遭計程車司機載到郊外姦殺。許多公司開始替女同事購買防身裝備、聯絡固定計程車行以防萬一。

工程招標，黑道介入，早有所聞。就連後勁的中油五輕工程，也傳黑道勢力要分一杯羹。七十九年五月六日，報載高雄縣後勁選出的立委黃天生遭恐嚇；鳳屏宮的居民更表示，有百餘位黑道人士覬覦後勁索賠的大餅，「他們還擁有烏兹衝鋒槍。」

幾個月前，執政黨中常會上，謝東閔資政就感慨發言：「第一，國家要重視治安，第二是治安，第三還是治安。」

李登輝的抉擇

李登輝一方面對社會不安定憂心，一方面對行政院長李煥的新聞造勢不耐，一方面又對自己終於可以展現構想很急切。

據報載，李登輝總統爲繼任閣揆人選，曾從政治、經濟、社會各方面深刻思考。最初有意拔擢中生代閣員，配合自己六年任期，完成他心目中的治國理念。但是國內政情和治安並不平穩，一個能「安定」的閣揆可能才是務實的作法。

四月的最後一天，天氣仍有些微涼意，立法院的閣揆保衛戰正打得激烈，媒體也把這個新聞炒得熾熱。李登輝約見九位立法委員。談話中，李總統透露新行政院長應具備的四條件：嶄新的、有突破性的、有魄力的、有遠見的。

也就是同一天，李登輝當面告知這位「安定」的閣揆人選——郝柏村。

郝柏村，十七歲投身軍旅，歷經抗戰、剿共，「八二三金門砲戰」四十四天戍守小金門時，展現軍事才幹；除了近半年多的國防部長職務，沒有擔任過一天文職。

就連郝柏村自己也有一些意外李登輝選上了他。「邀請我做行政院長，我倒沒有想到，我很驚奇，當時我沒有答應，我說我回去考慮。」郝柏村回憶當初接受閣揆職務的情形，「考慮了三天，我決定做。」

當時也有人好意警告他：「李登輝這一招很高，以你軍人性格，和立法院怎麼合得來？不出三個月、六個月，就把你轟垮了，轟垮了正好！」

「我不能朝這裏想，善意也好，惡意也好，我總是當作善意來做，」郝柏村倒是更務實地想：第一，考慮自己的性格能不能適應立法院的挑戰？第二，政治上沒有班底，能不能推動政務？第三，究竟該怎麼做，才能把當前的情勢穩定下來？

他相信：正直、誠實是軍事將領的第一要件，擔任行政首長，這也必是治政基石。「我雖然是個軍人，我認爲爲人還是要真誠，從政也要真誠，」接下閣揆的郝柏村立定「以誠治政」。

多年來的治軍建軍計畫在他手上完成，他也有信心推行政務的法則與此相通。

民國七十九年五月二日上午中常會前，李登輝召見他，郝柏村告知願意接受行政院長的職務。李總統也說，「心中的一塊石頭放下來了。」

兩年憲改、六年退休

稍後的五月二十二日，李登輝總統舉行了他就任以來第一次記者會，正式公布他的治國理想。

他的具體構想是：半年內使社會治安收到效果；一年內完成終止動員戡亂時期；兩年內完成國會改革工程；六年以後與李元簇一起退休。

如果對照他的構思，選用郝柏村，最主要的目的即在安定社會；此外，二月初的政爭，使李登輝必須顧及黨國大老的意見和減少省籍誤會，甚至減少某些人對他「台獨」傾向的疑慮。

不少人同意，李登輝用郝柏村是階段性的，目的在抑制李煥的反彈。儘管有不少立委和媒體支持李煥繼續做下去，得知郝柏村將出任閣揆後，也不再表示意見。

這場更換閣揆之戰，終於落幕。

一生備受經國先生賞識與信任的郝柏村，在經國先生走後，不免憂心國家未來發展。

民國79年6月1日，郝院長率內閣宣誓就職。

民國79年9月30日，李總統親訪郝寓，曾有心培養二人共事的基礎。

第三章

先有安定，才有發展

日記摘述

「在內閣用人上，我不能確定另一個人比現有的人好，我就沒有換，事實上等於接受了全部的李內閣。台北市長、高雄市長、省主席，過去都是省籍人士，對這些人事，我不熟悉，都尊重李總統意見。」

「經國先生在世時認為幫助工商企業，是為國家的利益；但是個人不能用自己的關係，同企業勾結牟私利。對這個非但不贊同，可以說深惡痛絕，當時有幾位從軍方或政壇轉往企業界的人，經國先生對他們相當不滿。」

「治安不好的形成因素和政治社會都有關聯，它不是哪一個單位的責任，而是政府整體功能和社會整體功能失調。今天行政院並不是治安內閣，不過我們在要求經濟上再穩定、再成長，投資意願再激發、再升高時，如果治安不能有所改善，恐怕一切都會落空。」

「對於污染賠償，賠了錢給個人，污染還在，那麼到底是要錢還是要消除污染？如果是消除污染，十億、百億，你都要花，這才是真正為人民著想。」

全力整頓治安

在民進黨撻伐「軍人干政」，在少數學生又醞釀回到中正紀念堂的氛氳下，李登輝全力支持郝柏村組閣。

郝柏村一方面緊鑼密鼓拜訪立法委員，一方面籌思施政方針和閣員部署。「我去看孫運璿院長，他說，地下投資公司要好好注意，股票可能會崩盤；我也去看李國鼎先生，他說王建煊是個人才，不能不用。」郝柏村從這些台灣政經發展的先進中得到不少指點。

七十九年五月五日下午，就快上任，蔣夫人接見他。「我就職行政院長，她也很高興；她拉著我的手，要我好好的做，」郝柏村在日記上記著。

不能更好就不換人

「讓人民安居樂業」，是他施政的初期目標；展望遠程，則是「國家的生存與發展」。

在內閣用人上，「我不能確定另一個人比現有的人好，我就沒有換」，他說，「事實上等於接受了全部的李內閣。」台北市長、高雄市長、省主席，過去都是省籍人士，他對這些人事都不熟悉，全由李總統主導。

吳伯雄堅辭台北市長，李總統首先屬意關中，過了二天，李登輝說林豐正也很好，郝柏村也正式通知了林豐正；再過兩天，李總統又改變主意，說「叫黃大洲做好了！」這才把台北市長人選定下來。

「我基本上的思想，我不培養個人政治上的班底、也沒有野心，只要推動政務。在這個前提下，我和他沒有衝突。」郝柏村承認任閣揆之初，和李總統確實肝膽相照。

外交部長連戰調任省主席，郝柏村認爲錢復出身外交界，還是應該回到外交部。當時，郭婉容已無意願續任財政部長，她是學者，很合適到經建會。

爲政者不與財團掛勾

倒是財政部長人選，郝柏村深受「經國先生的思想——爲政者不能和財團掛勾」影響。經國先生在世時認爲「幫助工商企業，是爲國家的利益；但是個人不能用自己的關係，同企業勾結謀私利。對這個非但不贊成，可以說深惡痛絕，」郝柏村記得，當時有幾位從軍方或政壇轉往企業界的人，經國先生對他們相當不滿。承襲了這種思想，郝柏村想到王建煊的正直不阿、是非分明。

國防部長由陳履安接事後，原任組工會主任蕭萬長又回到經濟部本行。

祕書長王昭明在李煥時期早已萌辭意，如今正準備與李煥同退。

郝柏村向財經界大老請教，一致認爲他本人不諳財經，王昭明對台灣經濟事務發展的熟稔，及輔佐李煥近一年的歷練，「千萬勿作第二人想」。

三次拜訪王昭明，還託李煥和李國鼎做說客。第二次，王昭明提出「試六個月，過了這一時期再找合適人選」，郝柏村立即爽快地說：「那就六個月！」

第三次去看王昭明時，郝柏村已開始有組閣行動了，他對王祕書長說：「我們要做籤呈，提一個內閣名單，我現在同你商量商量。」

郝柏村堅請王昭明做首席政務委員兼祕書長。王昭明過去輔佐過許多有才幹的長官，像尹仲容、李國鼎、張繼正、趙耀東，他們都有一個共同點：個人都很強，但尊重部屬，沒有官架子。對這位新院長，王昭明一點也不熟悉，心裏卻已有打算：「如果他不尊重部屬，我就隨時辭謝。」

得到王昭明的首肯協助，郝柏村的人事問題解決了一半。

治安、治安、治安

針對當時社會治安太壞，公權力不彰，企業家對台灣失掉信心，郝院長的優先施政就是要讓人民安居樂業。

「黑牛」要追殺立委許張愛簾、黑道恐嚇綁票企業主、謝東閔資政在中常會裏一再指出「治安是目前國家最重要的問題」……都讓長期在軍中注重紀律、嚴守秩序的郝柏村留下深刻印象。

談治安，郝柏村有自己一套構想。

他認為如果朝野能建立共識、減少理念衝突，對治安不利的一個社會動盪因素就可以消除。如果政府進一步革新行政，就可以提高公權力、公信力；公務員的士氣、尊嚴也可以鼓舞起來。

「泛政治化、非分觀念是安定的大敵；沒有安定就失去一切，」郝柏村認為如果人人不投機、沒有不勞而獲的心態，就可以減少社會暴亂之源。

他也認爲社會的治安可以透過全民互助，一起動員起來。透過民間的參與，真正的社會安定才能全面建立。

「這樣的程序，等於做一次全身檢查，看哪幾個地方有病，集中火力，處方、下藥，」他上任後對媒體解釋，治安不光是講黑槍問題，還要從政治行政革新和教育做起。

三安政策

具體的說，他思考的方向是朝向三安——國家安全、社會安定和人民安居樂業。要使人民「安居樂業」，安居是指生活中免於恐懼；樂業是要提升投資意願、經濟發展順暢。而二者關聯緊密。

他在遍訪民間反應後，開始一連串治安會議。

在第一次會議中就指出，治安不好的形成因素和政治、社會都有關聯，它不是哪一個單位的責任，而是政府整體功能和社會整體功能失調。他說：「今天行政院並不是治安內閣，不過我們在要求經濟上再穩定再成長，投資意願再激發再升高時，如果治安不能有所改善，恐怕一切都會落空。」

在他要求「政府一體、全民參與」的治安原則下，整個行政部門動員起來：緝私、抓槍擊要犯、處理地下金融、整頓股市，由情治單位、財政部、國防部聯合負責；十八種特定行業容易出現治安問題，是因爲管理不善，分由不同部門如經濟部、教育部、內政部、交通部，甚至新聞局負責管理。

除了抓違法外，還要從根本——教育著手，因此教育部成立「璞玉專案」，專事負責對國中三年級不能升學的青少年做輔導就業、防治犯罪、加强家庭教育，以免誤入歧途。整頓交通以及對計程車的管理，也列入治安範圍。

第一次全國治安會議

七十九年九月七日的「全國治安會議」，從各部門的專題報告中，給全面治安做了很好的詮釋，也爲各部門全力參與治安勾勒出清楚的輪廓。

例如財政部負責「如何遏阻機場、港口及海岸、漁港走私具體方案」；農委會報告「如何防止漁船走私具體方案」；經濟部要提出「如何加强管理影響治安的特定行業具體方案」；教育部負責「如何加强失業、失學青少年教育輔導具體方案」；內政部警政署研究「如何落實警勤區工作具體方案」和「如何防止黑槍氾濫具體方案」；法務部則負責研擬「如何强化法治具體方案」。

每一項研究題目都明確點出「如何」以及「具體方案」二個重點，也顯示郝柏村强力要求針對重點、切實做到的決心，絕不容許敷衍塞責。

自七十九年六月五日他親自主持第一次治安會報起，三十三個月中，他主持了四十次會議；起初每週一次，國安局、調查局、警政單位的人都參加，要做進度和成果報告。

「過去的院長對治安人員只說你們要努力去做，」祕書長王昭明觀察，「郝院長的作法則是規定，什麼時候要做到什麼情況；例如十大槍擊要犯，什麼時候要抓到，沒有達成任務，主管人員是要撤職的。」

黑道與黑槍

根據法務部門的瞭解，黑槍與黑道是治安的黑洞。黑槍流入台灣，幫派黑道有了利器，使「擄人勒贖」和「恐嚇勒索」案件連連，可算是治安敗壞的元凶之一。

郝柏村主導的掃黑行動，就指示從清剿黑幫開始。

七十九年七月十日，以迅雷不及掩耳方式，警總、國安局和警政署聯手，一網掃下當時爲禍台灣的四大幫派——竹聯、四海、松聯和天道盟的主要人物二十四人。抓到的幫派主腦人物，每位幾乎都有勒索恐嚇紀錄，不少還是「一清專案」的管訓分子。

根據警總與國安局的資料，全國有四百六十一個幫派，五千六百名不良分子要繩之以法，但是擒賊先擒王，他們從四十名大哥級人士先下手。

這個被喻爲「切中要害」的掃黑行動，使社會人心安定不少，但也牽出一個殘酷的事實：地方民意代表與黑道掛勾。

金錢與暴力介入選舉，是郝柏村任內極痛心之處。也許由於警政、司法人員深知這位剛毅不屈的院長行事作風，地方民意代表對這次掃黑求見關説都被阻擋於門外。十七天後，刑事警察局又自泰國押回槍擊要犯楊雙伍；九月八日，逮捕了「黑牛」黃鴻寓，爲整頓治安寫下漂亮的一頁。

掃黑的行動仍持續中，警政署又公布，凡非法持有槍械，三個月內自首者可以建議減免刑責。目的是先給持黑槍者改過自新的機會。

走私漁船不捕魚

黑槍來自走私，從菲律賓、東南亞，尤其是中國大陸來的最多。台灣的海防線長，走私容易，是治安上一個非常嚴重的缺口。槍械、毒品、偷渡客都由此流入。

位於西海岸的南寮是一個例子，它常成爲媒體報導的焦點。走在南寮街上，不時可以見到賓士、富豪、雪佛蘭等高級進口轎車穿梭。

人人都知道，這個小漁港不少的漁人並不捕魚，它是走私者的樂園。

警方記載，南寮登記有案的一百七十四條大小漁船，有一百三十條有走私的紀錄；居民只有二千多人，在前一年（七十八年）查獲走私是二千二百九十三人次。

走私船的猖狂到了目無法紀的地步。郝柏村決定成立「聯合緝私督導會報」，由財政部長王建煊任總召集人。

這是有史以來最大規模的聯合緝私組織，結合了財政部、國防部、內政部、交通部、法務部、情治單位和軍方。把台灣的關區、通商口岸、海防和陸上的緝私聯成一個沒有漏口的網。

過去緝私，各單位不免本位主義，也有緝私死角。如今由於郝柏村個人背景，對軍警人脈的掌握，對目標達成的嚴格要求，許多過去難以克服的困難都一一解決，真正發揮羣體維護安全的力量。

軍警的聯合作戰，軍方的要求是紀律嚴謹，人力精進。雖然其他部門有些不習慣，偶有抱怨；但一些警界人士也不得不承認，「現在可以做到以前做不到的事。」一位高級警務人員甚至對媒體說：「多一點人來管，有正面作用。」

嚇阻與實質並進

正面作用確實立即顯現出來了。

七十九年七月十七日拂曉，聯合緝私小組第一次的行動，就在嘉義朴子緝獲一條走私集團的船，查獲製造安非他命的原料五百七十公斤，還有無線電器材和中藥私酒等。這種全方位的查緝，果然發生嚇阻作用。南寮的走私船後來幾乎九〇％全躺在港口，沒有動靜，走私紀錄已近於零。

幾天之後，總召集人王建煊又在每週會議上宣布，聯合緝私的績效工作獎金為五千萬元。同時以最高二百四十萬元獎額鼓勵民衆檢舉走私。

在郝柏村就職院長半年後，警官學校做過調查，擄人勒索案降低了八成，破獲率達九成五，十大槍擊要犯紛紛落網。一個安定的社會逐漸成形。

終結金錢遊戲

在一個金融體系制度健全的國家，經濟犯罪是不易發生的，金錢遊戲是玩不起來的。台灣的金錢遊戲和經濟犯罪，大抵是源自國民所得的提高，外匯存底的增加，與正當投資管道的不暢通。

民國七十六年，我國外匯存底衝到七百八十億美元。民國七十七年，我國每人所得爲六千一百三十三美元，第一次達到「已開發國家」標準。

民國七十八年股票高漲到一萬二千點。

不投入這個市場的人就變得相對貧窮，不玩金錢遊戲的人就變得相對落伍。社會上功利主義瀰漫，一夜成富的心態席捲整個台灣，台灣也就變成了國際媒體所描述的「貪婪之島」。

各式各樣吸引人投資、獲取暴利的噱頭叢生。

投資的騙局

從高爾夫球場證，到靈骨塔投資，甚至海外存款、海外置產，「其實都是騙局，」熟悉內情的調查局人士指出。月息四厘六的「寶島公司」（保證倒閉），據說投資項目包括軍火（黑槍、非法武器）。

在整頓治安的同時，股市和地下投資公司也是郝內閣上台要立即處理的問題。股市此時已下跌到六千點，王建煊上台後，堅持證券交易稅千分之六「是合理的」，儘管在號子立委和一些輿論的壓力下，他毫不退讓。

和他理念相近的郝柏村，也深感金錢遊戲已侵蝕社會的基石，不是一個健全而現代化國家應有的氣質。在治安掃黑的同時，媒體又爲郝內閣的另一波整頓金融秩序冠上「金融掃黑」之名。

郝柏村對整頓金融，不僅責飭財政部要切實做到，甚至在往中央銀行視察時，對社會「一夜致富」的投機風氣也表示憂慮，强調「中央銀行也應從重建金融秩序上著手」。

他認爲如果和銀行、金融有密切關連的中央銀行和財政部能夠合作，對不按規矩放貸款加以「抑制」，使得銀行體系斷絕丙種墊款，這也就能整頓股市炒作的源頭。

慢性崩盤

其實，財政部整頓丙種墊款的風聲一放出，從事丙種墊款的各地金主已相繼謹慎縮緊資金，不少證券公司經營不善的缺失一一呈現，倒閉也就不斷出現。

超羣證券和天仁集團首先爆發財務危機；七十九年六月，已有一〇四家證券公司虧損，和前一年股市的暴利相比，真有天壤之別。

股市慢性崩盤，雖引起炒股人不滿，卻能迫使一般人回到正常的工作崗位。再度樂意勤奮工作的意願，也自此逐漸恢復。

牽涉到全國二十萬人利益的地下投資公司，多年來一直是個毒瘤，大大小小二百家，總投資額高達二千四百億台幣。

調查局清除毒瘤活動早從七十九年四月分即已開始，郝柏村上台後，一本軍人正直本色，「該處理的，就要依法處理，不能拖延，」他認爲當年十信風波財經危機，就是「因循」，使雪球愈滾愈大，終致不可收拾。

他也指出過去財政、經濟和法務三部互踢皮球，是不負責任的作法；並立即指示調查局長吳東明掌握資料，做適當處理。

調查局在處理地下投資公司上算是主角。他們已把二百家左右的地下投資公司輸入電腦。李煥任院長時期就已著手追蹤，基本上他同意調查局去做。郝院長上台，明快的作風，給了調查局長吳東明很大的鼓舞。跟著這個急促的腳步，陸陸續續查緝了不少非法期貨公司和投資公司。

財政部的銀行法修訂後，在法律上的依據和修校的工作算是完成，調查局只等待適當時機採取取締行動。

鴻源案耗時耗人

鴻源公司是最大、也最棘手的一家。

它吸收了十六萬投資人的資金，總金額高達九百六十億台幣。調查局先查清楚鴻源公司四十三個相關企業、二十四個據點的總資產；其間也數次約談負責人沈長聲，和他共同商量解決辦法。

沈長聲算是合作的，調查局也在他的合作下，搞清楚資產。地下投資公司法治化後，鴻源依法要吐出一點錢（利息）。估算鴻源吸金中吐出了二〇%；另一方面與負責人沈長聲商量，一起把資產負債表拿出來清算。同時得知的六百多筆不動產也一一與地政事務所取得不得過戶協議。

這些事都進行得相當機密。怕沈長聲跑掉，調查局光是日夜跟監他一個人，就派出四十八位幹員。當時他們最怕颱風夜，「因爲那是最容易偷渡的時刻，」調查局人員說。

七十九年八月二十二日，股票跌到三千三百點，已是谷底。調查局的行動就決定在這一天。一千多位幹員在鴻源全省二十四個據點，同時行動，拘提了四十二位核心幹部，包括沈長聲本人。

拖延經年的鴻源問題至此才畫下句點。

調查局事後對新聞界宣布：「違法吸收資金達七年餘的地下投資公司，在政府取締決心下，成爲歷史名詞。」

雷伯龍案調查局等待時機

股市大戶雷伯龍跳票案是另一個轟動社會的事件。

調查人員企畫了六個月，「要等雷伯龍犯錯，」如果不犯錯，股市又會放話說打壓市場。調查局人員分析當時處理股市問題都是戒慎恐懼。

八十一年九月十九日，一個星期六，連續前二天股票都在下跌，「這是很好的時機，因爲股票連跌兩天，」相關調查人員在週六下班前（前一週六放假、這天下午補上班）臨時接到通知要大家留下來。當天晚上徹夜就拘捕雷伯龍，並把所有事情處理完畢。

第二天是星期天，股市休息；「新聞又分成三波，在電視台、晚報和日報分別刊出，使大家心有準備，星期一股市就影響不大，」這才使辦案人員放下心來。

「這種影響社會可能很大、很敏感的案子，都要特別小心處理，」調查局高級主管解釋。

「郝院長追蹤得很厲害，這個事情結束了，就要提報下一個，」參與治安會報的吳東明感覺郝柏村整頓心切，督促嚴厲，大家都比較積極。因此在郝內閣上任半年內，地下投資公司這個蜂窩和股市丙種貸款等不法事件，都陸續得到合法解決。

八十一年底，中央警官學校做過一次研究調查，郝柏村上任院長以後，和他上任以前比較，治安確實有顯著的改進。

根據這個研究，擄人勒贖案降低了八成；强盜案例減少了近六成；搶案少了四成；而殺人案降低三成。

十大槍擊要犯已全部被捕判刑；地下投資公司幾乎絕跡。

郝柏村上任半年，可算是真正做到「治安內閣」；他對治安的規畫、整合人力、急切要求、嚴格追蹤執行，確是少見有魄力、有執行力的閣揆。

公權力新出擊

解嚴以後，台灣的一大街景是「街頭運動」。這個街景，經國先生在世時就想到了，他曾指示情治人員：「未來街頭運動會愈來愈多，要增加鎮暴、防暴警察，叫憲兵來幫警察。」

高雄事件是台灣街頭運動的濫殤，當時有人主張「打不還手、罵不還口」，確是緩和了一些情勢；後來街頭運動的演變則由政治走向經濟、社會，從反核到圍廠，從反軍人干政到維護校園中立。運動人士一次又一次的在向法律、向政府的執法能力挑戰。

街頭運動在郝柏村上台期間，更像一個探刺針，總要試試能否刺破法律權威的球。「罵不還口還可以，打不還手就脫離法治，」郝柏村對暴力的處置是嚴守法治，絕不放鬆的。這種鐵腕作法，使反對者「恨之入骨」，一般民衆則有「早該如此」的感受。

在二年九個月的行政院長期間，他面對的街頭運動最多也最激烈，他的處理原則總是：一定要合法申請；不要流血，要作蒐證；暴力一定要現場逮捕。

這樣的處置原則，也常因狀況、時機不同，產生不同的結果。不過對郝院長而言，「維護法治」、「重振公權力」始終是他的目標。

「四一七」遊行

民國八十年四月十七日，民進黨集結了上萬人，抗議在陽明山上開會的資深國代修憲。這是郝揆上台後，民進黨首次大規模的街頭遊行；更嚴重的是，它是一次未經申請的「非法」街頭活動。

早在二天以前，台北政治氣氛就相當凝重；因爲涉及憲改，總統府與行政院都相當關切。依法，是可以强制驅散，但依理，仍由執政黨祕書長宋楚瑜出面，去和民進黨協商。

遇到這種對峙情況，郝柏村總是給人扮黑臉的印象。一方面是他軍人直嚴的性格，一方面是他强調「依法處理」的行事態度，加上情治單位過去的心態，總認爲隨時可能有「立即危險」，就會予人「要抓人、會流血」的推論。

對於這場反對黨抗議遊行，儘管非法，郝柏村的處理指示仍是原則性的：不流血、要蒐集證據，如有暴力，要抓現行犯。

幸好「四一七」遊行過程順利，從當時的情況來看，民進黨已達到抗爭的表態目的；國民黨也給與民進黨溝通的尊重；警方則相當克制，以「平平安安，不找麻煩」為目標，終至和平解決。

台北市警察局長廖兆祥事後說過幾句話，或許頗能反映當時處理的情境：「『四一七』處理不當，很可能就是再一次的『美麗島』，甚至『二二八』的重演，我不能去做歷史的罪人。」

「四一九」事件

第二年的四月十九日，民進黨對憲改不滿意，舉行「四一九總統直接民選大遊行」，準備集合全省民眾三萬人，做三天兩夜的活動。

這一次的活動是經警方核准的。警方對合法集會遊行「採取平和態度協助順利進行」，警政署長莊亨岱特別說明。

然而他也強調政府貫徹公權力的決心，「如果現場羣眾有攻擊、破壞等暴力行為，警方將嚴正執法；在蒐證後，當場逮捕移送法辦。」

三天下來，台北市交通嚴重受影響，尤其以台北火車站最嚴重，從四月二十日下午三時起，台鐵和台汽都宣布暫停營運。民進黨遊行隊伍更進占火車站，準備長期抗爭。

當時交通單位估計，因爲這次街頭運動，有二百萬旅次受影響，每人平均每日延滯一小時，加上附近商家的營業損失，社會付出的成本已超過四億台幣。

民進黨的活動已超過了申請的時限，在火車站滯駐了四天四夜。民衆抱怨聲四起，頻頻詢問：「政府的公權力在哪裏？」媒體的報導也顯得不耐。

郝院長只用了「困」這個字，來形容當時處理的策略。

在「困」得差不多以後，警方開始用溫和方式——噴水警告、女警在先、哄勸架抬；二十四日凌晨，漸漸把圍站的羣衆驅離。

這種柔性街頭運動處理模式，後來得到輿論和老百姓的支持，並喻爲「首創」。

「五五」反核大遊行

在郝柏村「依法處理」的觀念下，他對按照規定申請的集會遊行，是指示「協助他們順利進行」。民國八十年五月五日，一場「反核遊行」就是其中一個例子。

當時，五輕已動工，對環保團體而言，郝揆解決了五輕問題，是他們的「一項挫折」，總要尋找另一波抗爭的機會點。這種抗爭心態，和民進黨新潮流系等待用「社會力來顛覆」爲重點的想法，一拍即合。

五月五日，五個小時，五千人參加。這就是「五五反核遊行」。

遊行終尾時，台北縣長尤清和十二位小朋友手持蠟燭，氣氛祥和。

不論台電在這場遊行中覺得多麼「委屈」，要承擔「必要之惡」的一切後果，成爲抗爭的主要標的；不論警方日夜警戒部署，耗盡了心力體力，嚴守待命，度過緊張的一天。畢竟這一天還是平和的，没有發生事故。

經濟性抗爭

和處理政治、社會自力救濟不同，在面對和經濟相關的工運和圍廠事件時，郝柏村通常較站到第一現場去瞭解實況，研判是非。他深覺：「公權力不彰，影響投資環境，是台灣經濟發展的阻力。」

被工運人士比喻爲「社運之冬」，是因爲郝柏村上台後對社會工運的鐵腕處理作風。

他在半年之內，解決了延宕年餘的遠東化纖罷工事件，有十名工運人士被起訴；碼頭工人顏坤泉因鼓動關廠失業女工請願暴力事件，被判一年十個月徒刑；治安會報中決定，加强檢肅「工運流氓」、「農運流氓」和「環保流氓」。

在他瞭解環保抗爭的問題點後，他對國營事業處理環保問題的方針就明確指示：「回饋基金應以鄉里爲對象，不以個人或每戶爲對象。」

他的想法是：賠了錢給個人，污染還在，那麼到底是要錢還是要消除污染？「如果是消除污染，十億、百億，你都要花，這才是真正爲人民設想。」

在解決五輕動工問題過程中，經濟部長蕭萬長數度南下高雄後勁溝通，郝院長又親自夜宿後勁瞭解實況，終於使懸宕多年的五輕工程動工。

後勁的處理模式效果很好，中油大林廠的處理卻沒有那麼順利。

中油大林蒲圍廠事件

八十一年五月二日，中油大林廠鍋爐加熱，冒出白煙，大林蒲民衆羣結搭起帳棚，開始圍廠。

環保單位出面用科學方法檢查，報告結果證明白煙是水蒸氣，並無污染。民衆還是不服，繼續圍廠。此時政治勢力也紛紛加入。高雄市長吳敦義前往探視，表示可向中油公司爭取回饋基金。

後來中油與住戶協調談判；住戶强力要求每戶賠償八十萬元，另加地方回饋基金十五億，以及水電和瓦斯優惠。

中油公司對這樣的條件無法應允；二十天後，居民更北上請願。

五月二十二日，郝院長決定親自南下；「當時有人說，院長不要去啦。我就是要去看看！」郝柏村說，他對這個非法圍廠和地方索賠堅持要自己瞭解。當時中油大門被圍，他就從側門進入，對著圍廠人繞了一圈說：「你們認爲這樣做合法嗎？」然後就走了。

離開現場後，郝柏村當即告訴高雄警察局長姚高橋「三天內一定要依法解決。」警察强制驅離圍廠居民，引發一場警民衝突，有六十名警員受傷。對這個不幸事件，郝柏村認爲「當初地方處理不當，更令人痛心」。

稍後他在當時的一次中常會上指出，政府不能再容許國營事業大門一圍就是一、兩年，他說：「少數民衆非法抗爭行爲和公然的敲詐勒索没有分別；無理的非法圍廠是對全民的敲詐勒索。」

他也指出：公營事業每花一塊錢，都是全體國民的錢。

盱衡當時政局，大林蒲事件或許只是冰山一角，最使他擔心的還是，一個月來從國大開會民進黨阻攔代表上山，到砂石車擋路，到圍廠事件，似乎自力救濟事件又重新蔓延開來。他說：「執行公權力，必須在法治基礎上，民主政治不能是暴民式的。」

不戰的代價——國防安全

强調「三安」的郝柏村，最熟悉的就是「國家安定」——「國防」這一環。

「强固的國防是國家安定的首務，」他認爲國防是維護中華民國生存與發展最基本的條件。

經歷過台海最激烈的戰爭，參與過建築防禦體系最關鍵的國軍建軍計畫，主導過國防最精密的武器研發……這一連串作爲軍事將領的紀錄，對郝柏村而言，都是「保衛中華民國、愛台灣」的實證。

走過四十年的台海對峙局面，他分析說：「兩岸關係大致可以分成軍事衝突激烈時期、軍事對峙時期和軍事停火時期。」

從中共來看，則是從「血洗台灣」到「和平解放」，再演變到今天的「和平統戰」和「一國兩制」。

自民國三十八年到民國四十七年，兩岸戰火頻仍，從古寧頭戰役、登步島戰役到八二三砲戰。

民國四十七年「八二三砲戰」後，兩岸軍事上都採取了自我節制，軍事衝突減少。一直到六十八年，中共與美國正式建交後，才宣布停止對金門和馬祖的砲擊。

這種停火狀態一直維持至今，「但是在法律上，並沒有任何停戰協議，」郝柏村指出。

用和平方式解決戰爭問題

宏觀世局變化，二次世界大戰以來，全世界幾乎都籠罩在核子戰爭的威脅，以及反對共產主義的冷熱戰氣氛中。一九九一年是關鍵年，蘇聯解體，人類最大的威脅終於解除。

「以最和平的方式使蘇聯解體，是人類用了最便宜的方法去防止核武戰爭，」郝柏村從軍事家的角度來看共產國家的瓦解。對於中國大陸的變化，郝柏村也認爲，「應如何從和平競爭走向和平共存，到和平統一。」

要維持台灣海峽平穩的關係，要先瞭解：哪些因素可能造成不穩定。

中共曾多次宣稱，如果台灣宣布獨立，或外力介入發生混亂時，「不排除以武力解決」；甚至李瑞環在會見台灣新聞訪問團，回答類似問題時，更以「犧牲流血、前仆後繼也在所不惜」來威脅。

中共不承認台灣是政治實體，更阻撓台灣加入國際組織，「這些主要的著眼點，就是防止兩個中國或一中一台。」郝柏村在立院施政報告中指出，當前台海兩岸的關係對國家安全影響至鉅，「我們極其理性的堅持『一個中國』的基本立場，也極其務實的承認中共當局爲現存的政治實體。」

一面加强兩岸交流，以降低四十年來的隔閡與敵意，另一方面他也相信「充實自己的實力──包括軍事實力，才能在與中共做各種談判時，立於不敗之地。」

加速自力發展武器

他在參謀總長期間，二代艦的建造，自己發展M四八戰車，以及高性能ＩＤＦ戰機，基本上都是防禦性實力的擴充。

接任院長期間，空軍曾有意購買以色列戰機，他持不同意見；如果客觀情況允許，他最贊成買法國幻象二〇〇〇飛機，他說：「買飛機，不像買青菜，要有長期的規畫。」

面對中共三年連續調高軍事預算、外購軍備，而且從不放棄對台灣用武的威脅，郝柏村院長在八十一年立院第九十會期中報告：「應加速自力發展新型武器，也要促請國際上正視台灣海峽均勢的重要性，售我武器，以維持必要的防衛力量。

一九九二年，美國同意出售我國一五〇架F—16戰機，法國也答應賣幻象二〇〇〇飛機給台灣。不論他們是否體認與正視「穩定的台海均勢」對世局的重要性，我國防禦力量加强，也是社會安定、經濟安定、國家安全的基石。

對國軍直言

民國八十年，全世界發生兩件軍事大事，一是波斯灣戰爭，一是蘇聯解體。

郝柏村在這一年國軍軍事會議中，就以這二件大事和基本國策爲題，發表坦率談話，他說：「蘇聯解體，是老總統說過的：政治作戰的成功——不戰而能屈人之兵。」也反映世界未來的趨勢走向「和平、民主、經濟建設、天下一家」。

另外他還提到：

——中華民國的存亡成敗繫於一念之間，這一念就是効忠中華民國憲法。

——蔣公的軍事思想是精兵主義及勤儉精神，所以國防預算削減和精減三軍編制，是必然趨勢。

——致良知，是忠貞團結、鞏固精鍊的根本。良知的反面就是私、偏、欺、疑。社會泛政治化現象，對軍中風氣必有影響，應予注意。

——哲學修養對將領至爲重要，有修養則心靈豁達，不迷失方向。

——制度是永恆的生命；傳統與改革並重。

——軍中決策程序，有一定的背景、時空、主客觀環境，外界批評易，實際作業難。

——人格是用兵至高無上的要義。人人要對良心負責，沒有個人進退得失。

——總統是憲法上的統帥，服從總統的領導，完成國軍使命。

在院長任內大力整頓治安，結合軍警及民間力量防制犯罪、打擊惡勢力。

王建煊在財政部長任內，得郝院長大力支持，把枱面上能做的事都做了。

「不戰而能屈人之兵」是作戰的最高指導原則；郝院長對國防建設，尤其是經國號的研製投下了大量心血。

79年大林蒲中油油管漏油污染，引起了民眾抗爭，郝院長親下高雄瞭解狀況。

第四章

對無法治的社會開刀

日記摘述

「所謂意外不是真正的意外。意外和不守法、不守分成正比。我們的社會不守法的多，不守分的多，所以意外多。」

「八月二十日院會我講：『一個有骨氣的政務官，應該不接受關說。我們每天把每一位來關說的人員報備。有沒有關說，乾脆你們把每天有哪位立法委員見你們，講些什麼事，都把它記下來，到時候有沒有關說，有沒有證據，都清楚。不要說：我不講、不講。』」

「我覺得我在立法院總質詢所努力的，就是要保住行政院及行政人員的尊嚴。」

「我還做國防部長時候，他們吵，也沒有人總質詢，從行政院長以下，枯坐一天。要是這樣的話，我做行政院長，那我不幹。我們的時間都是為民服務的，在那裏坐一天，是國家的損失。」

「刑法一〇〇條是法治上的一個重要課題，修訂為只要不牽涉暴力，就不構成犯罪，我們是讓步了，目的是要和諧；他們（指民進黨）是不是有回報，就要看了。」

健全法制

郝柏村走上閣揆之座的時刻，正是中華民國走向動員戡亂時期終點的時刻。修法、廢法、立法，是這一任閣揆最艱鉅的工程之一。

七十九年七月十二日，郝柏村在行政院院會提示各機關：「將有關法律作全盤檢討修訂」。八十年六月，又成立「法制檢討小組」，專門審查各機關提出的改進法案。

隨著動員戡亂時期終止，並著手修憲的腳步，行政院要修正的相關法共有一百三十四種；其中法律是三十四種，命令有一百種。

八十一年二月二十一日，郝院長向立法院做施政報告時，特別指出，「有二十七案，特別需要立法院儘速審查。」

這當中包括很熱門的「兩岸人民關係條例」、「勞基法部分修正案」、「著作權法修正案」、「國安法修正案」、「集會遊行法修正案」、「人團法修正案」。涵蓋了經濟、社會和政治面。

保障國家安全的法律

動員戡亂時期結束，制定保障國家安全的「國安法」、「人團法」和「集遊法」需要急切。李登輝總統特別親自召集黨政要員李元簇、郝柏村、林洋港、施啓揚、王昭明、吳伯雄、宋楚瑜及立法院劉松藩、王金平和國安局長宋心濂等共同商討。

對於國家安全的認定，由於出身背景不同，個人的體驗和看法自不相同，爭辯也不可避免。

其中最關鍵的三原則：公民集會結社㈠不得違背憲法；㈡不得主張共產主義；㈢不得主張分裂國土。經多數與會人士表示意見後，認爲「不得違背憲法」一項事屬當然，因此刪除了第一項，保留二、三項。

在「人團法」中，則對解散政黨的權利，改由行政主管機關檢同事證後，交由司法系統的「憲法法庭」來審理。並且明確訂定：政黨的目的與行爲，如果危害中華民國的存在，即爲違法。

「這項增列條文非常的重要，」堅持政黨不能推翻和改革憲法的郝院長，特別看重這項條文。

另一個比較引起爭議討論的是「刑法一〇〇條」修正案。

刑法一〇〇條修訂

刑法一〇〇條頒布於民國二十四年，主要是針對普通內亂罪而設。在立法院中，反對黨是主張廢除刑法一〇〇條。這條法律較引起爭議之處是在對「普通內亂罪」規定比較空泛，容易被解釋成「思想犯罪」，妨害憲法保障的言論自由。

郝柏村在七十九年年終記者會上答覆說：他個人並不贊成廢止刑法一〇〇條。他之不贊成廢除，是認爲各國刑法對內亂罪雖規定不一，但大體以維護國家的安全存在爲前提，人民可以依合法的程序修憲，卻不能「叛亂顛覆政府、改變國體和國號」。他說：「這種精神不只是對付『台獨』分子，也是對抗『共產黨員』來組織內亂。」

執政黨高層會議最後決定刑法一〇〇條只修不廢，然而對內亂罪要件，則以「强暴脅迫」爲限，言論層次則不予納入。

刑法一〇〇條是法治上的一個重要課題，最後國民黨與民進黨協商，修訂爲「只要不牽涉暴力，就不構成犯罪」。郝柏村說：「我們是讓步了，目的是要和諧；他們是不是有回報，就要看了。」

這條法律修改後，許多海外倡導台獨的人士可以返台，異議分子也結束鐵窗生涯。

勞基法不合現狀需要

民國七十三年實施的「勞動基準法」，實施多年來引起企業不便，因爲有些條文窒礙難行。

中華經濟研究院曾經做過研究，與日、韓、新加坡、西德和英、美相較，我國勞基法在資遣費、退休金、假日支薪天數、假日加班費、年終獎金、最低工資和積欠工資墊償基金等七項上，都拿第一。

「我們要重視勞工權益是天經地義的事，但我們不能用超國際標準的規定來做，」郝柏村認爲勞基法中不合理的一定要改。

他說「勞基法規定禮拜天一定要休假，否則算加班；禁止女性深夜工作……」原則是對的，但應當對若干行業的特殊情況有彈性的規定，例如「海員上船怎麼辦？禮拜天都算加班？還有新聞記者，本來就是夜間上班嘛！」這些顯然並不合理。

後來，經濟部成立勞基法研究小組，專研修改方向。相對的，勞委會也提出另一觀點的方案。這個法案牽涉的勞資雙方各有主管部門——經濟部與勞委會，也是少數在政府部門內就可以爭辯的法案。

八十一年一月二十四日，經過十七次審查會議討論的勞基法修正草案，在行政院院會通過。

和舊案相比較，主要修訂了六部分：㈠是退休金。將一次由資方給付改爲採領月退休金的保險制；㈡退休及資遣年資計算。舊法是溯及既往，新法是七十三年勞基法頒訂以後的，依勞基法；在這之前部分，則按原法令計算年資；㈢平均工資內涵改變。舊法規定平均工資包括加班費在內，計算時間爲以前的半年；修正的法不把加班工資計算在內；㈣工時和休假制度改變。舊法規定每週工作時間不得超過四十八小時，新法修正較有彈性，並放寬女工夜間工作限制；㈤增訂勞動契約的規定。新法增訂勞動契約約定試用期間不得超過三個月，也增列一年內曠工達十二天者，雇主可以不經預告解聘；㈥擴大勞基法的適用範圍。過去適用僅限八種行業，現將商業、服務業優先納入。

兩岸關係條例修正

國統會、陸委會和海基會相繼成立，涉及兩岸的事務，也需要法律明文訂定。民國八十一年九月十八日公布的「台灣地區與大陸地區人民關係條例」，正是爲此而設。這是一個歷史性的紀錄，李登輝總統在簽署法案時，特別要攝影人員拍下這個歷史鏡頭。

根據這個條例，大陸地區人民可以依法申請來台灣，但不得有不當言論或行爲；台灣廠商和人民往大陸，也不得有不當統戰言論或參加中共政治活動。

共有六十五條的「兩岸關係條例」，對兩岸人民來往發生的法律、商務、政治、定居等都有明文規定，使許多紛爭有規範可循。

不過其中附則規定：「主管機關於實施台灣地區與大陸地區直接通商、通航及大陸地區人民進入台灣地區工作前，應經立法院決議；立法院如於會期內一個月未決議，視爲同意」，爲「三通」和「大陸人士來台工作」留下「需要立院決議」的伏筆。顯現朝野對這件事仍意見分歧，也可能會爲將來立法與行政紛爭埋下火種。

在「雖不同意、但可接受」的情況下，在「有法總比無法强」的原則下，行政院與立法院在廢法、修法和立法的一場拉鋸戰中互有讓步，各有斬獲。

民國八十一年七月，牽涉至深至廣的原適用動員戡亂時期法律終於全部修正和廢止；八月一日，正式適用新法。

從此以後，行政院以常態法律運作。戶警分立、終止金馬戰地政務、大幅放寬出入境限制；政黨成立的審議權歸內政部，政黨違憲之解散由司法院大法官組成的憲法法庭審理。

從解除戒嚴，到終止動員戡亂時期，中華民國在遍布荊棘的叉路上摸索、跌撞，總算清出一條可行的路線。

守法不嚴，執法不力

論情西餐廳大火、健康幼稚園遊覽車火燒、卡爾登理容院燒死客人……。

一連串的意外事件，郝柏村沈痛地說：「說它是意外，其實是意內。」

他認爲，意外與不守法、不守分成正比；「我們的社會不守法的多，不守分的多，所以意外也多。」

一位幕僚人員說，郝院長每次巡視各地的建築，都要看看消防安全設施，但十次有九次都極失望，他常常說：「這種情況不出事才怪！」

從法令清楚嚴明的軍事世界，邁入法律不彰不振的政治世界，郝柏村感觸最深的是缺乏法治精神。

法治與民主是天秤的兩端，然而解嚴後台灣的政治和社會卻是「一個無法治的民主國家」，亂象叢生，舊的威權倫理無法約束，新的自由民主無法確立，郝柏村形容：「就像坑坑窪窪、彎彎曲曲的一條路，駕駛很危險，隨時可能有翻車出軌的憂慮。」

導致翻車的因素是法制不健全、政府執法不力，以及人民守法精神的不足。

早該修的法都未修

解除戒嚴以前，許多不合時令的法律應該修訂，但都沒有做到。因此他在就任閣揆前說：「動員戡亂時期體制終止，恐怕需要對法律全盤檢討修正，」牽涉國家大政的憲法，靠國民大會去修；和行政院修法相關的，他責無旁貸要大力推動。

郝柏村從不諱言，解嚴之前，許多該立該修的法皆未完成，行政人員還有「能不送立法院就不送立法院」的心態，他當了行政院長後，指示同仁該送立法院的一定要送，要「照著道理去做，法令大公無私，不理會特權，不怕批評，這樣立法才能心安理得、問心無愧。」

他一上任，立即在黨政高層協調會中給立法院黨團壓力，要求達到第一會期審完五十項法案的高標準。

另一方面，他又指示研究成立法制局，徹底檢討現行法中有哪些不合時宜。

一位幕僚人員記得，郝院長常追問：爲什麼明知許多法律不合理而不改？很多公務員的答覆是「怕圖利他人」。

郝院長感慨：「不合理的事，在圖利他人的陰影下，就沒辦法變成合理。」

政府豈能坐視不法？

在對公務員的期許中，郝柏村强調，不畏特權的執行公權力是公務人員爲民服務的使命。他對公務員執法不力，苛責特別强烈。

八十年四月二十五日的院會上，他指出，光是台北市便有四、五千家商家没有營業執照，仍公然營業。有三萬個停車位變更爲餐飲業，他不滿地說：「到處都是不合法行業，法治社會如何建立？」

民國八十年九月初，歐馬颱風過境，台西的雲林、嘉義、屏東一帶海水倒灌，更嚴重的是地層下陷。郝柏村早就清楚有一千五百平方公里地層下陷嚴重。全台灣三萬六千平方公里面積，只有三分之一是可居住的平地；「住人的地方有十分之一已經下陷，相當於三個新加坡，」他說。

他也知道下陷的元凶是超額抽取地下水，他對有一半以上的養殖漁業違規抽地下水，地方政府取締不力，縱容非法，十分震怒地說，坐視每年地層下陷十五公分，正顯示子子孫孫賴以生存的資源消耗殆盡，「政府難道任其發展，而拿不出有效的解決辦法嗎？」

汽車違規停車，已使整個台北市成爲一個大停車場；交通堵塞，民衆怨聲四起。郝院長在看到台北停車情況時，提出二個問題：「爲什麼報廢車警察沒有馬上處理？」「汽車違規罰單如果不繳罰款，如何處置？」

從攤販看法治

郝柏村也舉例，從攤販事件最可以看出中華民國的行政、立法措施，尤其是法治精神。

攤販的擴張源自民國六十六年，第二次能源危機，當時前幾年工廠，尤其是紡織業盲目投資、過度生產，在不景氣衝擊無法外銷下，產品淪爲地攤貨到處流竄，一擺不可收拾。

每年的選舉，使政府不敢割除這個毒瘤，市容就無法維持；合法經營的人變成了吃虧的一羣。演變成後來的攤販不完全是低收入戶，而是不付稅、不付租、獲利大，「也是另一種不合法登記商店」。

車輛違規、環保污染、地攤違法，都要開罰單，追根究柢的郝院長就會問：「你們開了這麼多罰單，到底收得怎麼樣？」

結果發現一百張罰單，只收到二十張的罰款，八十張沒人聞問。他就對執法人員說：「那二十個被罰的規規矩矩來繳，另外八十個刁頑的人不來繳，你就算了，你這個承辦人有沒有盡到責任？」

他下令研考會每三個月提出追蹤報告，包括新聞局在內，一定要「追出結果」。

他的目的是嚴格執法，才不會使「刁頑人占便宜、老實人吃虧。」

法治不彰，執法不嚴，使多少無辜百姓受害，健康幼稚園娃娃車出事，就是一例，他痛心這個意外，也欽佩林靖娟老師奮不顧身救孩子。許多家長要給林老師立銅像紀念，郝柏村很贊成。儘管已卸職，他仍說：「我今後還要追這件事。」

執行法律需要魄力

在治安危急之際接下閣揆任務，他勉勵法務部檢察官，「要使人民免於恐懼，就要執法者嚴正執行法律，達到維護治安的目的。」

他也瞭解「目前惡勢力囂張，常威脅到執法人員，行政院有責任維護執法人員的安全。」

對於取締不合法、完成合法，郝院長總是全力支持。儘管他對台北市政頗多不滿，但對黃大洲解決中華商場改建和七號公園拆除問題所展現的魄力相當肯定。他說：「用合理的方法去解決，如果少數人抗拒，立場還是要堅定。」

他對執法者採重責和鼓勵並進；對守法精神，則只有期盼教育。

闖紅燈的故事

台灣老百姓的不守法已成爲世界笑話，郝院長甚至在日記上記下了內政部長吳伯雄講的一則故事：

有一回，吳伯雄坐朋友的車，經過第一個紅燈，車子「咻」一下衝過去；到了第二個紅燈，車子又是「咻」一下闖過去；經過第三個燈，是綠燈，車子停下來了。吳部長就問：「這是綠燈，你怎麼反而不走了呢？」朋友答說：「我怕別人闖紅燈啊！」

郝柏村認爲不守法已成爲生活的一部分，是使我國不能做到現代化社會的絆腳石，「很少有一個現代化國家是人民不守法的。」

他以德國和日本爲例，他說，守法和守紀律已經是他們生活品質的一部分，他們的產品爲什麼那麼好，「那是整個社會品質好下的產物，守法是重要的一環。」

法律就像一條公路，不能坑坑窪窪、彎彎曲曲，駕駛的人在路上規規矩矩的開車，車上的人才能平平安安到達目的地。

塑造新公務員

「現代化的社會必須有現代化的政府，現代化的政府就必須有現代化的公務員。」上任三個月，郝柏村就對二千五百位全省科長級公務員講話，他深覺要建立有效率的政府，一定要使公務員都有共識。

這個共識就是：如何做一個有尊嚴、受人尊重的公務員。對提高公務員士氣和鼓勵做有尊嚴的公務員，郝柏村相當用心。

激勵士氣留住人才

他認爲在制度上要有一套健全的文官制度，才能提高公務員的效率，發揮服務社會功能，包括：公平的用才、有晉升和進修制度；加上合理的待遇。在態度上，要激發積極進取的工作觀；要有「無我無私、奉獻犧牲」的服務精神。

這些精神的發揮，其實就是「如何提高行政效率」。

七十九年七月一日起，公務員全面調薪一三％，這是一個創舉；他更指示人事行政局，在下一年中，把高級與低階公務員薪資差距提升到五倍，以「激勵公務員士氣，避免高級人才流失」。這個計畫原定民國八十五年完成，他希望能提前兌現。

爲了安頓公務員的「家」，他指示輔建和輔購公教住宅，採取「售屋不售地」政策，使價格不致高得買不起。

爲了讓真正做事的公務員獲得肯定，而非劣幣驅逐良幣的反淘汰，他一方面要人事行政局在考績制度上列入「强制資遣」和「勒令退休」規定，在考績丁等免職前再加一級，以示警戒；另一方面則加入對考績最好的五％與最差的五％有特別獎懲辦法。

他把「公權力不彰」的責任放在公務員的執法能力上。尤其是剛上任時，整頓治安，他給基層執法人員的壓力很大，甚至公開說過：「公務員如果只占位子，而不執行上面的命令及政策，政府不需要這種公務員。」

反特權、有擔當

他也認爲政府如果無法伸張法律和公權力，「就無法得到人民的尊敬，也就沒有尊嚴可言」。

一方面公務員要有法治精神，另一方面公務員更要有不畏權勢、反特權的道德勇氣。他深知「公僕難爲」，也就特別看重反特權的意義。

有一回郝院長在院會上，以工程議價與公開招標爲例，鼓勵處事人員要有擔當，他說：「凡是公開招標的，就不必議價；凡是有議價必要的，政務官要有擔當。」

他認爲政務官員要有拒絕關說的風骨，該議價而不議價，拖延時間，浪費公帑，「就等於是貪污。」

民國八十年初，華隆案牽出了交通部長張建邦家人涉嫌。政商利益勾結再次成爲媒體熱門話題，這對政府官員的形象極有影響。一向對金權勾結深惡痛絕的郝柏村，再次利用立法院答詢時勉勵所有公務員「絕不與金錢財團掛勾、絕不與特權妥協。」

十八標風波後，有感於交通部長簡又新「我不講、我不講」含混其辭，引起猜疑，他在院會中提示高級官員不接受關說的方法。他說：「乾脆你們把每天有哪位立法委員見你們，講些什麼，都把它記下來。到時候有沒有關說，有沒有證據，都很清楚。不要說『我不講、我不講』。」

施政是求好不是討好

就在卸任前幾天，他三看國劇「徐九經升官記」，並邀行政院同仁一起觀賞，深深佩服徐九經「寧可官位不做，也要對抗權勢。」

甚至在王建煊因扭曲的「土地增值稅案」而辭官、趙少康爲政務官難以發揮抱負決定再投入選舉時，他仍是本著一向的原則，堅持：「施政是求好，不是討好，不能因尋求妥協而失去是非。」

六年國建推出，工程大餅高達八兆二千億元之巨。民進黨立委謝長廷督促政府早日制定「公職人員財產申報法」、「遊說法」及「政治獻金規範法」，以防止官商勾結。

或許出乎反對黨的意料，郝柏村很贊成。他說，這三項法案已在研擬，「我不但不反對，而且會要求儘速提出。」

他更强調，個人非常贊成貪污公務員的長官受連坐處分，「任何官員只要有貪污的情形，一定嚴辦！」

公務員的時間是老百姓的

在他任內被認爲較具爭議的率閣員在立法院退席事件，是他要找回公務員尊嚴的一個實例。

八十年二月二十六日上午，因爲反對黨立委的議事杯葛，加上吳勇雄在院內撒冥紙、王聰松在一件衣服上點去漬油等動作，遲遲無法進行。十一點一過，枯候質詢多時的郝院長站起身，右手一揮，全體政務官隨他一起退席。

這個舉動立即引起立委的强烈不滿，尤其是反對黨立委認爲他「藐視國會」，甚至有「憲政危機」。

下午他再回到議場，面對立委們說，因爲事先已向立法院長梁肅戎和黨鞭饒穎奇表示過，如果十一點還不能報告，就要退席。他認爲這「是爲維持最低的尊嚴不得已的行爲」，「我們一忍再忍，總不能叫全體閣員枯候一天。這樣對得起全國同胞嗎？」

自從任國防部長赴立法院備詢以來，他早已看到立院的亂象，深不以爲然，但是行政官員總是一再忍耐。他覺得：公務員的時間是全體老百姓付了稅要他們去做事的，毫無道理的讓他們枯坐，就是浪費老百姓的錢，辜負老百姓的期望，同時也把公務員尊嚴踩在腳下。

「我覺得我在立法院總質詢所努力的，就是要保住行政院及行政人員的尊嚴，」郝柏村事後的感想是部分立法委員只有私利，沒有抱負。

塑造公務員文化

就像帶兵的將領一樣，他要持續地做「精神教育」；也像公司的負責人一樣，他要溝通觀念，建立「企業文化」。

他期盼的行政公務員文化是：人人有志氣、有正氣、有勇氣。

上任後對二千多位科長級公務員的談話，引起外界「莒光日」批評，之後他不再做大型動員月會。不過在院會中，他仍時時勉勵地方及中央級公務員「凡事但問是非，不計毀譽，不怕反彈，勇於負責，來提振公權力」；他堅信，惟有這樣，國家社會才會有前途。

他說，人無志氣，不能立足於世，公務員沒有立下報効國家的志氣，就難成有使命感的公務員；公務員有浩然正氣，就不會貪贓枉法，官商勾結，也不會屈從特權壓力；公務員更要有不避艱辛、冒險犯難的勇氣，「公事公辦，該怎麼做，就怎麼做」。

他自己更身先士卒，不拿一分不該拿的錢，不取一個不該得的名。

八十一年初，美國東部一所著名大學，透過管道邀請郝院長春天訪美，並接受榮譽博士學位。郝柏村的直接反應是：這麼著名的大學爲什麼要給我榮譽學位？有什麼要求？

經過查詢，對方雖無直接要求，但希望將來能資助中美學術交流。

當有人告訴郝院長，過去政府部門及民間曾經捐贈過一些著名大學，如康乃爾大學（李總統母校）、芝加哥大學（連戰母校），郝柏村立刻婉謝了這份榮譽。

他更告訴部會首長，「以後政府官員絕不可以用國家資源，或者動用民間資源，換取個人的榮譽。」

人民對公務員改觀

每年底，研考會都要做「民衆對各類公務員滿意度調查」，民國八十年底，一般民衆對政府官員的滿意度已從民國七十八年的最低點回升。

以七十八年和八十年做比較，稅務人員滿意度從四七·三%升到六三·五%；警察人員滿意程度七十八年是五六·六%，八十年爲六二·九%；司法人員由三八·五%升到五二·四%。

郝柏村院長任內真正最想做的，是培養優秀公務人才，就像他八年總長期間爲國家培養優秀高級軍官一樣。

他重視人才，尤其對年輕有品德、有理想的人特別拔擢。

當環保署長簡又新接張建邦做交通部長時，對環保署長人選，郝柏村選擇了趙少康，「我同他過去沒有什麼交往，我當行政院長時，他沒有投票支持我；但是我很瞭解，他不支持我不是反對我個人，他要爭取黨內民主。」郝柏村在用人上沒有成見，更不太講關係。

他尤其注意年輕人的潛力和氣質。他很欣賞馬英九；有一度，王建煊辭職後，「我甚至考慮要馬英九做財政部長；後來他考慮了沒有接，」郝柏村爲後來馬英九當了法務部長而覺得很高興。

最想建「國家行政研究院」

如果他續任閣揆，他一定會完成建立「國家行政研究院」的構想，以健全高級文官訓練制度。事實上，在民國八十一年四月，他就已批示成立專案小組規畫這所研究院。分短期和長期，訓練九職等以上公務員，可惜這個規畫牽涉很多，在他任內未能完成。

郝柏村帶公務員就像帶兵一樣，要「爲三軍所信服，能團結三軍，才能邁向成功，」他也深信：「人格是用兵至高無上的要義，人格更是從政的至高無上要義。」

郝院長對公務員的要求，是要有抱負，有尊嚴。

整頓治安，要靠優秀的警力支援；親赴中央警官學校鼓舞士氣。

81年中秋節與各院會首長參加自強活動，開懷高歌一曲。

整頓市容足以反映法治社會，郝院長對台北混亂的市容並不滿意，常與黃大洲市長一起巡視。

第五章

建設台灣才愛台灣

日記摘述

「我覺得『貨真價實』是我們最好的企業倫理，你必須企業本身健康，才能夠競爭；等於我們開運動會，你身體不健康，怎麼在運動場上同別人競爭？」

「查稅對於很多巨頭啊……是不舒服，查稅查到了，都是很緩和的循合法的途徑解決。後來稅務單位處理，沒有故意為難。」

「如果我們國民生產毛額以五兆來計算，民間差不多是一兆五千億的儲蓄，六年差不多九兆的儲蓄，六年國建的財源不成問題。土地取得的順利與否才是六年國建的成敗關鍵。」

「實際上，中央所花的錢都在地方。中央辦個大學、修條鐵路、修條公路，都是為地方，所以在台灣，中央和地方很難分、不必分。」

「到南部去看星雲法師。他對我的評語很有意思。他說我『金剛外衣、菩薩心腸』，他又說我是『坐如鐘、行如風、立如松、臥如弓』。」

「痲瘋病院我去過，痲瘋病院的醫生護士很了不起，他們幾乎一輩子就陪著這些人。他們的待遇不但不比別人好，還差得很遠。我告訴他們要改進。」

從五輕開工說起

民國七十九年三、四月李登輝總統同意召開「國是會議」時，工商大老辜振甫就呼籲召開「全國經濟會議」，因爲「台灣的根基是經濟！」

辜振甫的話提醒了大家，上層天天在談政治的結果，社會人心浮動，許多根本問題無法解決，像投資環境惡化、經濟指標負成長、公共工程嚴重落後……。

郝柏村上台以後，也深知解決治安問題只是治標，根本的措施是如何改善投資環境，促進經濟發展。

當時國內投資明顯下降，勞資糾紛、工資上漲，加上環保抗爭、自力救濟，使得企業主紛紛外移，有的公司老闆甚至說：「你們要鬧，我不做了可以吧？」

其中尤其嚴重的是針對污染比較嚴重的石化工業、核能發電廠。

二年前，陳履安擔任經濟部長時，林園事件賠償了十二億台幣，且爲個人領取。這個案例引起相當大的後遺症，一些民間企業對這種處理方式心生恐懼。郝柏村上任院長後，「四、五、六——核四、五輕、六輕，是我重振公權力、改善投資環境的重要指標。」

石化業是龍頭工業

他首先要求經濟幕僚研究污染度高的石化工業在台灣是否值得發展。經幕僚人員報告，石化工業的產值是一萬四千億台幣，在民國七十八年占台灣製造業總產值的三四%，就業人口達三十四萬人，且上、中、下游牽連很大，「是一個台灣目前尚無法放棄的工業，」同時五輕、六輕建廠完工，將來年產值可達九千億，對台灣經濟影響極大。

輕油裂解是石化工業的原料，如果絕大部分靠進口外援，石化工業也會受到影響。中油公司要興建五輕廠，是在前幾任院長時已做下的決定，只是後來因民間環保抗爭、自力救濟，被迫擱置下來。

「五輕是提振公權力的一個標竿，」郝柏村立意甚堅，他和幕僚人員研究、溝通，要想出妥善的方法來處理這個拖延多年的棘手問題。

不同於過去的是，位於高雄後勁的五輕是一個新廠，中油公司承諾以完全符合現代環保的要求來建廠，污染可以控制到最低程度，將來完成後並可取代污染較嚴重的一輕和二輕。

然而後勁居民從民國七十六年六月二日，圍堵高雄煉油廠西門起，五輕工程就動彈不得，五輕事件也成爲環保焦點和媒體熱門話題。

倒數計時五輕動工

郝柏村一上任，「五輕早日動工」成爲他「最想做的三件事之一」。瞭解詳情後，他指示部屬解決當地民衆反彈的原則是：如果居民要求索賠，是爲地方利益，可以接受；但絕不允許落入私人口袋中。

他常對相關人員說：「你去看看當地最需要什麼，我們就幫助他們什麼。」經濟部和中油公司在感覺到行政院「强力支持下」，開始去做協調工作。一位當時的幕僚人員說，郝院長的强力支持，使得工作人員較有信心，畢竟這是件敏感而延宕已久的案子。

郝院長做事要求緊密追蹤，最後也決定了五輕開工時間。就像軍隊作戰一樣，要定一個「D」day，然後倒數計時，完全按計畫進行。經濟部長蕭萬長先後去了後勁五次，與居民溝通。

郝院長親訪後勁，事前沒有做任何安排。那是七十九年九月十三日，當天飛機本來預備從台中飛往澎湖，倏因颱風，澎湖機場關閉，幕僚人員就向院長報告，郝院長臨時決定：「我們去後勁」。同行的還有經建會主委郭婉容、經濟部長蕭萬長、內政部長許水德和衛生署長張博雅。

抵後勁的當天晚上，郝柏村特別到反對人士的據點鳳屏宮上香，並留宿後勁前議員劉茂德家中，親身體驗當地的污染情況。他也立即請中油公司人員通知反對人士，第二天上午早餐進行溝通，討論如何做好防污染設施，如何建設地方、成立回饋基金。

與地方人士見面時，他懇切地說明自己非常同情被污染者，並肯定環保人士的努力。他指出：後勁居民的環保要求已得到政府重視，因此大家要相信專家，理性解決問題，因爲五輕也牽涉到二千萬人的經濟；中油一定會確實爲污染負責。

他說：「請大家相信我、支持我，讓我爲大家多做點事。」

郝院長得到了很好的回應。最後敲定動工時間——七十九年九月二十二日。

五輕動工後，他還去過後勁，親自視察工程和環境狀況，「連車子該怎麼洗輪胎可以維護環境乾淨，他都一一交代，」一位隨行人員觀察。

郝院長對自力救濟處理的態度是「堅定而講理」，抗爭的人也因爲他的「堅定」而比較「自律」。

五輕事件解決當時，環保人士發表了聲明，但並未再有强烈行動。

核四迫在眉睫

台灣天然資源有限，和世界其他國家相比，能源條件極差。藉以發電的水力資源不豐；燃料——油、煤更要仰賴進口，量大，費用不貲。在這樣的情況下，從短、中、長期看，核能發電恐怕是一個不得不走的路。目前全世界有二十五個國家、四百三十一部核能機組在運轉；日本核電容量是台灣的六倍；韓國一半電力來自核能。

台灣自核一、核二、核三建廠後，已有十年未再開發核能電源。

民國六十九年四月，蔣經國總統鑒於未來電力需求，指示經濟部配合經濟成長，核能四廠的工程提前到民國七十年度辦理。

二年後，行政院選定台北縣貢寮鄉爲建廠地；然而當時正值石油危機和全球經濟不景氣，計畫就無定期延後。

民國七十三年，核四計畫再被提出，由於民眾反核情緒高昂，俞國華院長又指示暫不動工。立法院也在七十五年正式通過凍結核四建廠預算。

核四工程停擺，但是民間工業與一般用電成長卻未停擺。

台電開發電源計畫一再受阻，停電、限電頻頻。動輒需要六年至八年建廠的電力，眼前已經不夠，將來的後果更不堪想像。

行政院深知「核四非建不可」的迫切性，把核四建廠再度列入「國家建設六年計畫」。郝院長鑒於電力仰賴「核四」的急切需要，得想辦法把凍結已四年的「核四」預算案解凍。

八十一年二月二十日，行政院院會正式通過此案後，郝柏村指示各部門：「興建核四廠已成政策，主管單位就要進一步溝通，爭取民衆的認識與支持。」

環保人士抗核，民間用電激增，關鍵在核電的安全問題上。郝院長囑咐相關單位一定要設法使人民對核電的安全有信心。

根據部屬的瞭解，全世界近二十年來對核能發電的安全要求所加上的保障，也正是核能電廠建費不斷增加的主要因素。

在自由世界，包括美國三浬島核能電廠在內的事故，並沒有發生過輻射外洩；前蘇聯車諾比輻射外洩事件，是因爲它的設計、管理、監督等方式完全不是西方先進國家的那套標準。

回饋地方建設基金十七億

顯而易見的，這個案件的溝通範圍牽涉更廣泛。

在地方上——貢寮，要溝通回饋地方建設。行政院決定提撥一%的核四建廠預算十七億元，做爲鄉鎮地方建設基金，將來核四運轉後，每年還提千分之十的運轉經費敦親睦鄰。

如果根據這個計畫去建設，貢寮鄉可以變成台灣建設最好的一個鄉鎮，「因爲經費十分充裕，」郝院長甚至告訴台電公司，「找專門人才幫他們規畫設計」。

另一方面，郝院長也向李總統做專題簡報，得到李登輝總統的支持，並在執政黨中常會討論能源政策時，對「核能發電做了肯定的決議」。

凍結核四預算的是立法院，經濟部長蕭萬長擔起重任來疏通。他專案報告解凍核四的急迫性、必要性、安全性、經濟性和國際趨勢。他期待核四是從技術角度來解決，而非政治角度來抗爭。

八十一年六月三日，在立法院兩黨對陣、一片混亂中，終於表決通過核四預算解凍。前後等待了六年，台電終於等到這一刻；但未來漫長的九年興建期，核四會不會再遭不測，沒有一個人敢做保證。

六輕建廠化險爲夷

台塑集團多年來從事石化工業，對經營管理有其一套理念。在他們的評估中，台灣石化工業儘管缺乏原料，如果上、中、下游密切合作，仍然在世界市場上具有競爭力。

石化業的上游是高度資本密集的產業，台塑也認爲相當可爲，一直希望六輕廠能在台灣蓋起來。但是地方環保抗爭、自力救濟，雖經多方溝通，還是延遲不能進行。

郝院長在五輕、核四問題解決後，一方面認爲二者皆屬國營事業，另一方面也覺得台塑是台灣第一大製造業，「能使六輕在台灣開工，對民間投資意願的提升，和帶動中、下游工業投資，會起很大鼓勵作用。」

台塑在宜蘭買下利澤工業區二百七十九公頃地，準備六輕建廠；然而地方强烈反對，一直遲未動工。

後來經濟部工業局又大力協助，爲台塑在桃園觀音工業區設廠提出有利支持。郝柏村對台塑六輕的指示是「要全力協助完成」。

民國八十一年十一月下旬，台塑提出在雲林麥寮離島工業區六輕擴建計畫，加上原六輕案，共投資二千億台幣，這是我國有史以來最大的一件民間投資案。

郝柏村要求各部門對這件大投資案要切實促成，以落實「根留台灣」的政策。一秉講求效率的作風，他要求經濟部、財政部和環保署一起合作，共同討論六輕到底面臨了哪些困難？能不能解決？如何去解決？

歸納起來，六輕興建的問題一是土地，二是地方反彈，三是環保問題。

因爲位於濱海工業區，一部分爲水域，尚未填土；有的地是國有財產局的，有的土地屬地方政府，也牽涉都市計畫。過去土地的爭執因各有不同部門所屬，拖延二、三年都解決不了。後來郝院長責成各個相關部門一起來討論解決。

地方上的反彈，透過台塑自己的溝通，已由僅爲一派堅決反對，到有兩派意見對立，氣氛漸趨緩和。

政府全力協助

在過去台塑和環保人士交涉過程中，發現對環保標準的規定不夠明確，例如其中有一項，將來六輕廠散放出來的氣體或液體合不合規定，要得到民間的同意。這「民間」是誰呢？是不是有一個人不同意就不行呢？

經過溝通，台塑認爲只要是「具體」的環保標準，他們就可以做到。環保團體仍強力反對，一些學者專家也認爲，爲了留住台塑，政府以特案處理，似乎優惠過度，「可以幫忙，但不能放水」。

郝內閣的決策則仍是協助解決困難。

興建六輕廠，水的問題、碼頭問題，相關部門一一規畫妥當。郝院長鍥而不捨的魄力，使得儘管涉及部門很多，卻能很有效快速化解。

台塑眼看行政院做事的決心，他們投資的信心也增强，最後終於定案。

從台塑提出有意興建六輕，到決定六輕擴大案，前後近七年；過去經濟規模年產四十五萬噸，現在則必須生產九十萬噸，其間的波折、重估、變化，正足以反應台灣企業成長和社會變化的互動與無力。

郝院長常常說：「我不懂經濟，但是我懂得如何改善治安，如何運用公權力，來創造一個安定的環境，使工商界樂意投資，使老百姓能安身立命。」

環保大房子觀念

在台灣現代化過程中，環保問題就像掌中之鳥，捏得太緊，牠會窒息，放得太鬆，牠會飛掉。

民間大力鼓吹環保，觀念卻不一定正確；企業有心改善環保，能力卻不一定足夠。政府夾在中間，如何兼顧民衆與企業、環保與經濟，確實難爲。對企業界，郝柏村指示環保署：「老問題要限期改善，新問題不容許發生。」

他深知環保重要，但也不能抹殺投資意願。因此對環保署說：「對投資，可以提環保意見，卻不宜有否決權。」先讓投資成立，再一一查核環保要件。

他也要政府提供環保改善服務，鼓勵投資環保工程與環保工業，才能真正協助企業解決環保問題。

對於一般環保，他鼓勵發揮大家庭觀念。一次他在對環保義工講話時提到：「我們要把台灣當成一個大房子，才能免去環保抗爭。」

他的環保大房子觀念，是指一幢房子一定有客廳、書房和廚房，「在房子裏，一定有人在客廳，有人在廚房，」但是目前是人人都製造垃圾，人人都不要焚化爐和掩埋場，「美麗的寶島就會變成垃圾島，就像人人只要書房，不要廚房一樣。」

現代化國家的藍圖——六年國建

郝揆就職半年，在七十九年十一月二十九日行政院院會上，他欣慰地說：「目前治安略見改善，尤其擄人勒索案件的破案率達到九成五以上，十大槍擊要犯也紛紛捕獲，工商企業可以安心工作，不受干擾……」

當治安改善，郝柏村接任院長的第一個治標的「安定」目標達成後，他立刻著手下一步治本的「建設」。

「把中華民國變成一個現代化民主國家，」是他建設的總目標。

他覺得台灣經濟發展快速，成爲舉世注目的奇蹟，但是另一方面人民有了錢，交通卻擁擠雜亂、空氣污染嚴重、文化品質低落、醫療設施不夠……

「六年國建」的構想，就是在解決這些瓶頸。當時的郝院長發現：

——當私利與公益衝突，或短期與長期利益矛盾時，需要政府對國家資源的運用作整體規畫；

——台灣在小康之後，缺乏一個凝聚民力與民氣的共同目標；國家建設可以集中建立共同目標；

——政府施政，是受人民所託，要對人民負責，需承諾一個建設目標，讓老百姓督促政府是否兌現。

建設如建軍

在郝柏村腦中，「六年國建」的計畫就像過去軍中的重大建軍計畫一樣，要有一個中心思想、總目標與具體步驟。

建軍計畫，是要判斷十年後戰爭的形態將如何？如何打勝仗？不論是遠程、中程，都要有備戰計畫。

他認爲國家建設也應有整體思想和目標。他的目標是：建設中華民國成爲一個現代化國家。爲了彰顯李總統六年任期的重大貢獻，於是定名爲「六年國建」。

在他的構想中，經由六年國建的軟體與硬體建設後，中華民國可以變成一個真正現代化的國家：

一、國民所得繼續提高。

二、建立疏暢良好的交通秩序。

三、防治公害、改善環境品質。

四、犯罪率大幅下降。

五、重整經濟社會秩序、講求全面均衡發展。

六、在優良生活環境下維護國民身心健康。

七、養成國民普遍守法習慣。

十八個現代化生活圈

在郝院長心目中，這個長達六年的計畫，「其實就是一個大的都市計畫。」他解釋，台灣南北長三百六十公里，平均每三十公里有一條東西向的快速道路，加上南北向的第一高速公路、第二高速公路和濱海公路，「台灣就可以形成十八個生活圈；任何一家人，開車半個小時，就可以上學、上班、就醫和參加休閒活動。」

在行政院院會通過十二個東西向快速道路時，他特別指示，台灣東西向的河川特別多，要多利用，「只要順著河川修堤，就自然成爲道路，一面修路，一面修堤，一舉兩得。」

他也提示高鐵要向海岸發展，「這樣可以帶動原來偏僻的地方繁榮起來，」他說，也許短期來看不合經濟效益，但是長期一定有很好的效果，達到均衡發展目標。

錢從哪裏來？

由經建會主委郭婉容在七十九年底，綜合了地方和中央的七百多項硬體和軟體的大計畫，「有些是本來就計畫做的建設，如核四、五輕；有些是延續以前的工程；再加上新的建設」，並以區域平衡和國土綜合開發爲架構。總經費是八兆二千億台幣。

這麼龐大的經費立即引起社會關心：「錢從哪裏來？」爲此財政部長王建煊和郭婉容還有一番熱烈的爭辯。身爲國庫的帳房，王建煊深知阮囊羞澀，沒有足夠的錢。

郝柏村院長的看法則是比較樂觀的。

發行公債被視爲可行的方法之一。郝柏村解釋說，「六年國建」是投資性的計畫，發行公債不是靠稅收來還，很多開發計畫，會使土地升值回收。另外，公營事業轉成民營，以及使用者付費等方法，也都可以籌措財源。

郝院長還說：「我們國民生產毛額以五兆計算，民間儲蓄是一年一兆五千億，六年差不多是九兆，財源應該不是問題。」

「六年國建，錢不是問題，行政效率才是問題，」這是郝院長常掛在口上的話。他早已看出，推動六年國建的成敗因素在執行。

爲了推動這個大計畫的執行，行政院內特別成立了「公共工程督導會報」，負責控制工程進度，協調各方困難。

「土地取得是六年國建最大的困難，最順當的土地取得都要十八個月，有的三年、五年不能解決；還有就是本位主義，自己人找自己人麻煩，」郝院長指出，常常督導會報一開就是三、四個小時，來協調困難、解決問題。

溝通觀念是減少推動「六年國建」阻力過程中很重要的事。不論多繁忙，郝院長儘量利用週末到各基層辦座談會，後來也邀請全省各鄉鎮人員三千人北上國父紀念館參觀「六年國建」展覽並辦座談。他的目的是要告訴他們：「中央和地方是一體的，中央的建設，也就是地方的建設。」

「台灣地區很小，中央和地方實在很難分，重大建設計畫，必須中央統一來規畫，然後縣市共同來努力，」這是郝院長六年國建的主要精神。

國際參與及務實外交

民間參與以及國際招標，變成了另一種經濟振興與務實外交。這一兩年，我國與歐洲國家如法國、德國通航談判的進展；許多過去從不來台灣的國際要人，如今都紛紛來訪。很難說不是覬覦「六年國建」這塊大餅。

就連在美國芝加哥的國建會上，一位外貿協會駐外人員在報告業務時都說：「感謝六年國建，給了我們很好的機會向外國人去推展業務。」

面對不少人批評「六年國建」的計畫太草率、工程太大、耗資太多。郝院長解釋：「六年國建並不表示六年內都要完成，」工程計畫每年要評估，每年編預算。

他常常對人推崇郭婉容的「七十八分主義」。參與台灣經濟建設計畫，郭主委有許多親身體驗：鐵路地下化、高架化，談了十幾年；每位作簡報的公務員都可以舉出許多好處，但也同時加上「不過，噪音、經費太大……」等理由，然後這些工程就再研究，一拖又是幾年。因此她就認爲：任何計畫不可能求全，求全就躭誤了，等於不做。郭主委說：「我們許多政策都要做到一百分才滿意，其實權衡一下，能做到七十八分就可以了。」郝院長則認爲，誰敢保證一百分，但不做就是零分，「能做到七十分，甚至六十五分我就滿意了。」

大家熟知的例子是：基隆河的截彎取直工程吵了十幾年；台北市的捷運系統，地下和高架也爭了二十年，結果「大家怕批評，沒有承擔，就不做！不做就是零分。」

他的「不做就是零分」哲學用在六年國建施政上，與他對公務員的期許「多做不錯、少做多錯、不做大錯」正是一脈相連。

半途而廢

六年國建牽涉最大及最專業的，應屬工程部分，郝柏村深知工程可能引發的弊端和複雜性，不是一般行政公務員所能處理。因此，他決定成立「公共工程委員會」，親自負責主持會報。

他說，目前公共工程最大的問題有二個，一是所有政府機構內的工程均由各機構自行負責，但大家缺乏專業人員，規格和技術也沒有標準規範；一是工程招標，審計部以「低價決標」，價格太低，容易形成圍標和貪污，價格過低也容易偷工減料，工程品質一定出問題。

郝柏村任院長時，他原先希望成立「公共工程部」，來處理所有公共工程的專業問題，他說：「教育部、衞生署……他們怎麼知道如何發包、監督工程，這些應該是專業人員來做的事。」同時他也認爲政府應該有一個可信賴的工程顧問公司，來協助處理複雜的工程問題。

瞭解郝院長的人深切體會到，儘管他在政治理念爭辯上，花了不少時間，也樹立不少敵人；但最令他在乎的，還是「六年國建」的成敗。

民國八十年二月，郝柏村在立法院宣布：進入民國八十年代，要將西方人稱爲「焦慮的年代」在中華民國變成「脫胎換骨的年代」；要使台灣成爲西太平洋地區的國際金融中心、交通轉運中心和科技重鎮。

一向做事著重有始有終的郝柏村，也許心中最大的隱痛是：改善台灣人民生活素質的計畫，實惠加諸於二千萬人民，功勞歸於李總統，責任由他來承擔，爲什麼不讓他做完六年、見到成果？

赴美國芝城國建會演講時，一位海外學人稱讚他的政績，他卻很嚴肅地回答：「半途而廢！」這或許正是他「六年國建」只做了三年的心情寫照。

心目中健康的經濟

對於自己精通的事務，郝柏村通常很有定見；對於很少涉獵的領域，他相當尊重專家學者的意見。經濟問題就屬後者。

孫前院長，李國鼎資政、趙耀東顧問等都是他最常請教的先進；深諳台灣經濟發展的幕僚長王昭明，則是他的財經左右手；他也說：「我的經濟學老師有兩位，一位是郭婉容主委，一位是高希均教授。」郭主委是「六年國建」規畫的總設計師，高教授則是提供宏觀觀念，建議以大格局來思考台灣經濟前景的學者。

尊嚴生存、理想發展

在整頓治安、社會趨穩之後，郝柏村開始推展他「健康的經濟」計畫。

郝院長認爲：今天的中華民國，已不只是在「求生存」，而是要追求有「尊嚴的」生存；也不是在「求發展」，而是要追求有「理想的」發展。

他所謂有尊嚴的生存是指追求高品質的生活；有理想的發展，是爲追求均衡、公平、進步的發展。

整體來説，郝院長體會到政府的經濟職能，從消極面來説，即是清除「展現活力，發揮潛力」的各種有形與無形的障礙；從積極面來説，是開創一個「展現活力，發揮潛力」的大格局，誘發在台灣的中國人再接再厲，攀登另一座經濟高峯。

釐清發展優先順序

郝院長利用多種場合，常常指出近幾年來，隨著民意對生活品質、環保意識、社會責任的重視，政府終於漸漸發展出新的優先次序：

(1)全力追求量的增加之後，已開始重視附加價值的提升。

(2)全力追求產品外銷之後，已開始重視國內需求的擴增。

(3)側重個人成本的減少之後，已開始重視社會成本的分擔。

(4)側重企業的利潤之後，已開始注重企業的社會責任。

(5)側重硬體的購買之後，已開始重視軟體的配合。

(6)側重物質建設之後，已開始重視精神建設的提升（如文化、倫理）。

(7)側重政策的短期成效之後，已開始重視其長期的後遺症（如各種補貼）。雖然這種「遲來的智慧」，已使我們付出了不少代價，但正逐漸納入決策的思維與政府的施政之中。

進一步來說，他認爲政府還應當推動四個重要的觀念：

(1)「使用者付費」與「付費是值得的」。

(2)「個人小康、社會不能再大貧」。

(3)「個人成本要降低，社會成本也要降低」。

(4)「合理的消費可以，浪費不可以」。

開創大格局

在八十一年三月的全國經濟會議中，郝院長强調：

政府的責任是要用一切力量來開創一個大格局，使企業家樂意投資、創業；使科學家樂意發明、創新；使年輕人樂意奮鬥、嘗試；使人民樂意定居、工作；使海外的中國人樂意回歸、認同。

這個責任就是行政院要配合相關機構，全心全意地做到：㈠社會安定的維護者。㈡民主政治的推動者。㈢教育品質的提升者。㈣社會公平的促進者。㈤典章制度的建立者。

他認爲要做好這些職能，除了我們行政首長要有責任感、道德勇氣、與大公無私的自律之外，還需要立法部門、工商界及輿論的支持。

從理念落實到施政，郝內閣在經濟領域裏推動了各種措施。

當他接任院長時，國內的經濟成長率由預估的七％降到五％左右；內部投資意願不强，外部整個世界經濟不景氣，加上連台塑都要投資大陸，經濟處於低迷狀態。

他常常自稱「財經方面我是外行」，因此很能放手讓財經首長去做事，而且很稱讚這一堅强的財經陣容：中央銀行總裁謝森中、經建會主委郭婉容、財政部長王建煊、經濟部長蕭萬長。上任後，所舉行的財經座談，他只是綱要式地提出自己的構想。

例如他强調經濟要發展成長；高科技產業占國民生產總額的比率要上升；政府要改善投資環境、解決工商界困難；企業到大陸投資，但要根留台灣。

郝內閣一方面經濟掃黑，清除非經濟障礙；一方面加强財經兩部、甚至中央銀行間的溝通，他希望行政一體的力量，可以加强振興經濟效率。

他更把五輕動工、六輕定案，當成振興投資意願的標竿。留住台塑在台灣辦六輕，更有民間投資示範作用，還不僅僅是它一千億的龐大投資，和將來產值可占ＧＮＰ的十分之一。所有的這些行動都在帶動台灣經濟發展。

財稅養雞理論

甫一上任，經濟部提出「加速製造業投資升級方案」，就在改善投資環境。

七十九年八月分的財經會談中，他對稅收提出了「養雞政策」，他說：「多養雞、多生蛋，才能培養稅收，」他甚至清楚地指出，「對企業過重的稅，這種社會是短命的社會」。

也就在同一月分，他展開一連串經濟紓困措施，要振興投資：

——宣布消費性油品調低三成，但工業用燃料油不調；同時油品貨物稅減半。

——經濟部公布「加速製造業投資及升級方案」，減免租稅、擴大投資抵減；財政部全力配合。

——動用行政院開發基金五十億，每年以二十億提供貸款給傳統性工業；另有財政部、交通部提出的二十億「創業投資」基金。

——財政部、交通銀行提供資金，低利貸款策略性工業。

——中央銀行採放鬆銀根措施，並進一步低利融資製造業及中小企業。

——降低工業區工業用地價格。

追蹤投資像追蹤辦案

就像治安會報一樣，他在財經會報上，總是要追問投資的進展，「這個月中，民間投資申請多少？核准多少？廠什麼時候可以開工生產？」在他腦海中，效率永遠是第一優先。

因此，短期他有提振製造業的投資方案，長期則以「六年國建」加强政府公共投資，來帶動經濟。

對於企業界，他强調「健康的經濟」，他說，「健康有二種意義，一是企業本身內部管理要健康；一是外在政府提供的法令規章要健康。」

他也一再强調，一個企業「不能靠漏稅來賺錢，靠漏稅在國際上競爭」。因爲他清楚一些傳統企業「三三制」現象，該繳的稅，利用兩本帳，三分之一交給政府，三分之一打點稅務相關人員，三分之一進了自己口袋。

他也常以運動員的健康做比喻，一個運動員如果本身體質不鍛鍊好，「只靠吃嗎啡和藥，如何跟人去競爭？」尤其現代企業的競爭是全球性的。

當美國三〇一條款對我國採取報復行動時，郝柏村早就提示：「侵犯智慧財產權無異於强盜土匪，搶了人家的錢，不能以可以原諒的態度來看，」認爲需要專業法庭和專業檢察官來處理，他特別爲了此事，親往司法院向林洋港請益。

經濟不成長，死路一條

許多人常把王建煊的查稅，和郝院長的反金權，聯想甚至扭曲成爲「反商情結」，他常常要與工商界溝通，化解這種不必要的誤會。

他强力消除環保抗爭、把不合法的工運人士訴之以法，爲的就是要給企業一個安定成長的環境。在處理完大林蒲圍廠事件後，他對中部一羣村里長說：「台灣經濟不能成長的話，大家都是死路一條。」

他重視製造業，認爲這是生產事業，常覺得「在經濟發展中，如果製造事業產值的比例，在國民生產毛額中持續下降，就值得憂慮。」

對於高科技產業的關注亦復如此，經常參觀科學園區、工技院，他强調台灣的經濟要在和大陸競爭中保持優勢，「重心就在高科技」。

然而，郝院長也不諱言：「我們的高科技趕不上日本，大陸也有一些科技超過台灣；日本的科技不肯給我們，大陸的科技，我們又不要……」

有一次，面對行政院顧問趙耀東和資策會執行長果芸，他感慨地說：「要不要借用大陸的科技和人才，又牽涉到統獨之爭與府院的看法。在這種環境下，行政院只發揮了三分功能。如果做得多，說得多，又認爲在跟層峯較勁。」

怕被認爲在較勁的郝柏村，倒未在工作上減少企圖心。

他指示經濟部及國科會，在六年國建中，發展六十六項關鍵零組件及十項新興工業。目的也在擺脫一直以來對日本產業的倚賴。

他在對業者座談中指出：「政府的研發，是爲了企業界，因此業界負有考核的責任。」這種把政府研發和業界應用連結、相互協助改善的理念，頗爲務實。對於台商往大陸投資，他並不反對，只是過去政策不明朗，廠商躲躲藏藏，政府也掌握不了資料。他採取鼓勵他們公開化的作法，已有近三千家台商向經濟部登記。

郝柏村希望往大陸投資是一種加工出口區的延伸，生產在大陸，「而把整合系統留在台灣，也就是根留台灣。」不過也有學者向他建言，「企業界是最精明的，他們自然會想盡一切辦法根留台灣，因爲他們最清楚什麼對他們有利；實在不需要政府替他們擔心。」

一張漂亮的成績單

在二年九個月的執政中，六年國建的成果還不容易顯現出來，但民間投資已見些微改善；國民所得大幅成長（超過一萬美元）；經濟成長率在民國八十年是七・三二％、八十一年成長七%；在國際上，台灣已成爲亞太經合會會員及關貿總協觀察員。

多位工商界領袖對郝院長的財經施政，都給了很高評價。他在八十二年二月五日離開行政院之前，對工商協進會的一千多位企業家說，六年國建提供了大家更好的經濟發展競爭環境，使我們企業界能在世界占有一席之地。

他更進一步感慨地說：「當政治安定時，企業界不覺得它的重要性，但政治不安定，每一天都對企業界發生影響。工商業界應該以公平、正義的力量，來導致政治的安定。」他的意思是：政治安定，工商界也有責任。

儘管政爭不斷，但是在全國人民與工商界努力之下，台灣經濟在八十一年驕傲地跨越了三大經濟門檻：

●國民生產毛額超過了二千億美元、居世界第二十位。

●每人國民生產毛額超過了一萬美元，居世界第二十五位。

●貿易總額超過了一千五百億美元，居世界第十四位。

郝內閣覺得交出了一張沒有辜負人民付託的成績單。

土地政策保衛戰

土地問題的討論，在郝柏村任內，居然也捲入了省籍情結的政治旋渦。他心中最著急的是，一個不合理和不公平的制度，爲什麼不能立刻改。

位於台北市敦化南路和仁愛路口的遠東百貨公司屬違規營業，原來這個地區不是商業區，不能蓋百貨公司。

這件事給他的感觸是：土地利用、都市計畫不能面對現實。

他後來和台北市長、內政部長研究土地利用問題，發現台北市的商業用地面積，按照都市計畫規定只能有八%，當然以這個比例，早就額滿了，於是許多建築就變成了違章建築。

郝院長就對黃大洲說：「像台北這樣一個商業化的都市，商業區只有八%，是不是太少了？要檢討這個問題。」

後來台北市重開都市計畫會議，才把八%修改爲一二%。

假農民、眞地主

另一個不合理現象是工業用地取得困難，造成「假農民」很普遍。報載，包括新光集團的吳東昇身分證上職業一欄都是「農民」。甚至王永慶被謠傳是「農民」身分，使他不得不出示身分證來闢謠。

爲什麼土地從農業用地變成工業用地很困難？一方面是一經變更，土地立即暴漲；另一方面台灣農業人士力主必須保有一定的農地面積。

工業土地取得困難，已成爲產業外移主因之一。統一企業副董事長高清愿在報上爲文說，「八年來國內土地的飆漲，工業界出現了一些畸形現象，」他舉例說，「許多企業經營不順利，往往出售土地來支持生存；也有把買賣土地當成正業，本業反而淪爲配角。」

他還指出，企業投資，如果土地價格太高，成本負擔過重無法競爭，「必捨國內而就他地」。幾乎有八○%的業者都是因爲土地問題，而考慮移去大陸及東南亞國家。

持有農地一定要有農民身分的規定，使得目前台灣真正有農地的大都是不事農耕的「假農民」。假農民倒不一定是爲方便取得土地做工業用，真正隱藏在背後的是土地炒作。

針對這個問題，郝院長找了農委會的負責人檢討：是不是台灣仍要保持這麼多農業用地？是不是應該釋放部分農地做工業用、商業用、甚至住宅用？對於假農民的不合理現象如何處理？

貧富差距破紀錄

然而，在一般人民心目中，真正最大的土地問題，是土地價格過高，尤其是被少數人炒作，造成貧富不均的現象。其中又以土地買賣中是否合理付稅，達到國父「平均地權」中的漲價歸公精神最受斵傷。

最近幾年，國民所得差距呈現逐漸擴大的現象，已由原來的四・五倍反向擴大為五倍，表示貧富差距有了變化。

也就是這些年來，全國人口二〇%的有錢人，掌握了全國財富的五三%。登上美國富比士雜誌全世界富豪榜上的台灣巨富，其財富多是出自土地和房地產業的增值。

「社會上貧富拉大，背後一隻看不見的手是和土地有關，」一位土地學者指出。

根據深入的瞭解，近二十年來，透過土地買賣出現的新富，他們的稅負並未與獲利成比例。

公告價與實際價差別大

內政部和財政部的研究也發現，造成一些人從土地得到很大利益，卻未付出相對貢獻的原因主要有二個。

一是目前我們的土地增值稅是照公告地價，而不是實際交易價來徵稅。公告價格與實際價格差別甚大，照公告價格納稅，超過公告價格的大部分土地利益不必納稅。

還有一種情形，很多土地，往往是個人先低價買進，再以高價轉賣給公司；獲得巨大利益卻不繳納稅，公司高價買，把成本提高了。如果是上市公司，一般大衆、股東就吃虧了，這也就是「利益輸送」。這種不合理的土地買賣，一賺幾十億、上百億，卻納很少的稅，這和一般薪水所得一毛稅也少不了的百姓相比，不公平是可見的。

更嚴重的是，這種遊戲和政治牽連的結果。一些人顯然食髓知味，他們把從土地賺來的錢投入選舉中，得到政治地位，再用政治特權影響政策（包括土地政策），取得更大的經濟利益。

「土地變鈔票，鈔票變選票，選票再變鈔票」的循環，引起了社會和媒體的注意，成爲選舉時的熱門話題。

對於土地政策，郝柏村很嚴厲地批評，「事實上國民黨執政，在都市平均地權方面，完全背離了國父孫中山先生的理想。」他一針見血指出多年來的弊端。

土地改革問題多

郝柏村眼看這樣的情況發展下去，有可能引發成嚴重的社會問題，是一顆定時炸彈。「土地改革」在他任上就受到很大的重視。

他在行政院成立「土地專案小組」，最初是吳伯雄任召集人，後來吳任內政部長後，由高銘輝接任。

在多次小組的報告中，郝柏村發現一件「很荒唐的事」，全國的土地竟然沒有地籍總歸戶。這個措施是在平均地權條例中明文規定的，但政府從來没有實施過，因此也從來没有哪些個人或企業擁有多少土地的紀錄。

還有，「很多縣市地方設立大學，核准以後，他們又不建大學，到附近買地，然後炒地皮，很荒唐嚴重的事，」對土地怪象瞭解愈多，郝院長愈覺得問題複雜。

他對土地造成的金權政治和納稅不公平引起的貧富不均，尤感厭惡，因此對財政部長王建煊的建議相當支持。於是，「郝內閣大砲，瞄準四百萬有錢人」的大標題出現在媒體上；各種謠言四起，甚至省籍情結、有錢無錢階級鬥爭都出籠。

事實上，郝柏村的土地理念是一個公平、均富社會的理念，他認爲「土地問題的解決，依憲法規定，及國家立國的精神，應達到三個原則：平均地權、漲價歸公、地利共享」。

他一方面與農業部門協商，釋放農地二萬八千六百公頃做爲其他用途；一方面全力實施地籍總歸戶制度，做爲將來土地交易徵稅的依據。

農地釋放中，一萬公頃轉住宅用；五千四百公頃爲工業用地；五千六百公頃是遊憩休閒地；商業用地是六千八百六十公頃。

在六年國建計畫中，他也列入興建國民住宅給中低收入者，希望釋放農地出來，「只租不賣」來建國宅。

他在一次對成功大學學生的演講中提到：「我的理想是，一個大學生在畢業十五年後，可以買到自己的房子，大約二十五至三十坪。」

全力破除土地炒作

全力阻止炒作土地，在他的施政期間時時可見。

當六年國建大興公共工程時，地方上土地財團早已虎視眈眈，趁機炒高地價。這種情況增加政府徵收土地的困難，郝院長毫不猶疑地裁示停止或改線。

北二高工程在桃園八德內環道路、新店交流道和安坑交流道預定工程就是三個例子。都因爲計畫一出爐，財團和地方派系就介入炒作，地價高得令他深覺「不像話」，立即裁示桃園八德的工程計畫停止。

新店和安坑兩地交流道土地徵收費，在二年間，從十一億升到九十六億五千萬元。郝院長下令，二地一併停止，甚至說「兩地選一地，哪邊先完成徵收就選哪邊。」

這一策略果然奏效，那些土地財團和地方勢力莫不緊張，趕緊去解決問題，否則一旦被取消工程，押寶行動就功虧一簣。

土地投機不能忽視

八十一年中，位於台北市南京東路的華航大樓旁邊，國泰人壽買下的土地要變更蓋商業大樓，這與當初標售時是爲蓋觀光旅館出入很大。國泰人壽提出的理由是「當初不知道用途」。

郝柏村特別注意這件事，他說：「花這麼多錢買這塊地，這地能做什麼、不能做什麼會不知道?這個不成理由。」

當時這個案子想透過都市計畫的更改來改變用途，「很明顯的，這就是財團用的手法，把這些都計委員弄通了，」郝柏村認爲這絕不可以。

他立即在行政院發表談話：「政府一本誠信原則處理國壽案，鑽法律漏洞，這是很顯然的；政府不能忽視土地投機。大家都反對土地投機心理，我們不能忽視。」後來內政部没有批准台北市都市計畫的變更用地案。

愈加瞭解台灣的有限土地資源正被操作發財時，郝院長愈加相信：「土地應該像空氣、陽光和水一樣，不能被壟斷和獨占。」

公平正義的財稅

「你們去抓逃漏稅，只要各位沒有拿人家鈔票，我一定替各位去擋。擋不擋得了我也不知道，但我一定會替各位去擋。」民國八十年二月初，財政部長王建煊在台北市國稅局，面對百位稅務員，很大聲的說。

他的口氣堅定得一如郝院長。半年前，郝柏村請他出任財政部長時，二人的共同施政目標就是要建立一個「公平的財稅制度」。

「我有兩個原則，一是健全的稅政，一是合理的稅制，」郝柏村對財政的指示，是健全的稅政要靠有紀律的稅務人員，去查緝逃漏稅；當稅政健全後，更要檢討目前的稅制是否合理，否則爲什麼會有「三三制」現象。

郝柏村對王建煊的正直極端信任，他個人多年追隨經國先生，看到經國先生「絕不和企業界作私人交往」，印象深刻頗受影響。

經國先生杜絕金權勾結

郝柏村記得，當年經國先生曾提過二人，一是王新衡，王先生是立法委員，早年和經國先生一起留俄，交情很好。遷台後，王新衡受徐有痒之邀加入遠東集團，並任過亞洲水泥董事長。自此經國先生就避免與王新老往來。

另一位是蕭政之，他自軍方退役後，被國泰企業延攬，蔣經國對此事並不滿意。

經國先生認爲企業憑其經營能力發財，乃理所當然之事，但對運用政軍人脈得到方便和發財，就深不以爲然。這或許正是經國先生杜絕「金權政治」的遠見。

生性樸實直率的王建煊和郝柏村都對特權有反感，他們的理念相通。財政部管轄業務牽涉特權的事比較多，「我支持王部長去做，」郝院長對王建煊的支持，使王建煊在任上覺得「枱面上數得出來的事，我們都做完了。」

新銀行設立是一個例子。

民國八十年六月，新銀行申請開始，就有傳言：新銀行一股已漲到二、三十元（面值十元）。若以資金一百億來計算，尚未核准開張，就可以賺上百億。獲准成立的新銀行儼然會變成另一新特權。

「我當時告訴王建煊，凡是合條件的，統統都准。這樣子就沒有特權。」郝院長甚至公開宣布：「新銀行在沒有開始前，就議價讓股的，撤銷許可。」

雖然政府未必抓得到精明的銀行議價讓股，不過新銀行「准許從寬、管理從嚴」的政策，確實成爲阻擋新特權的殺手鐧。

稅政老手王建煊

政大財稅研究所畢業、深受劉大中和李國鼎二位賞識和提拔的王建煊，對台灣稅制和稅政瞭如指掌。

他與郝柏村對稅政的共識，是要如何在不增加稅的原則下，達到公平稅收。

稅政上的最大洞口，就是逃漏稅。

從七十九年底到八十年三月，短短三個多月，財政部在緝查漏稅中，共追到二十六億稅收。其中遺產稅是八億一千八百萬元，居第一名。

對於遺產稅和贈與稅業務，王建煊是老手，早在民國六十二年出任賦稅署第一處處長時，他就負責全國這項工作。

當時國內首度增加了贈與稅，堵住了遺產稅的轉移漏洞，法律才算完備。其間最著名的是民國六十六年華隆集團負責人翁明昌過世，繳了二億五千萬元的稅，而當時一年全國的遺產稅稅收不過三億五千萬元。

「道高一尺，魔高一丈」，避稅的方法總是跑在堵稅的法律前面。

據説後來大企業就利用每日進出證券市場的頻繁，將股分大量逐漸分散。於是表面上看起來富甲一方的「老東家」，其實已孑然一身。

當時報載轟動的例子是新光企業負責人吳火獅，他過世時，呈報財產是三、四億；而新光集團的資產是千億以上。

遺產稅收暴增

財政部最初並未公布查到哪些人的遺產稅或贈與稅逃漏，但數字會説話：七十九年度比七十八年度多了十六億二千萬元，八十一年度較八十年度多了六十四億元。

到了民國八十一年中期，國稅局追查十九位過世富人遺產稅已有十件結案。這些有名富人包括尹書田、侯政廷、鮑朝橒、許金德等。而出人意料的，歷年來遺產漏稅最高的是股市聞人陳德深的十九億元。自從國稅局鎖定十九件大戶後，遺產稅自動申報案件也增加了；八十一年一至十月，自動申報遺產總額一億元以上的有五十七件。

郝柏村任院長，講求執行計畫與追蹤，更要求爲達成結果全力配合的方法。掌握一百大家族企業財產資料、一百大股市大戶資料，調查局與財政部聯合緝私和緝查漏稅等等，都是例證。

將證券市場一百個大戶資料掌握分析，可以查出其中兩個漏洞：一是以人頭戶漏稅，一是上市公司與財團聯手內線交易。這時追稅的氣氛在媒體上引起社會相當的注意，也因此有不少人提供內幕線索，甚至主動報案。

抓逃漏稅驚動企業

「三光惟達」事件在七十九年底爆發是其中一例。負責人在過年前被拘禁，企業界大爲震驚。一位員工檢舉，三光惟達公司負責人翁純純涉嫌逃漏遺產稅一千四百萬元、短報營收三億及證券交易所得稅一億元；另外也涉及「假華僑、真逃稅」的避稅嫌疑。

繼之而來的順邦證券女董事長紀速增被收押，因爲她涉嫌協助股市大戶「亞聚陳」逃漏十億元證所稅、「華隆張家宜事件」接著曝光。這些都看得出查稅雷厲風行之勢。

「假華僑、真逃稅」事件是財政部緝查漏稅的另一重點。企業界利用僑外股東稅率與國內股東稅率不同來節稅，而這些「假華僑」多在「免稅天堂」地區設立一個專做股權轉移用的空頭公司。

民國七十九年七月三十一日，財政部查出十三個大企業客戶涉嫌運用國外「免稅天堂」；並且發現許多著名會計師、律師事務所處理來自巴拿馬、賴比瑞亞的「免稅天堂」僑外投資案。

從法律觀點來看，這些案件並不違法，且在企業間相當普遍，但財政部的「行政處理」確也產生嚇阻作用。

財政部對小規模營業要開統一發票的規定，則被政治化，反對黨利用它來醜化政府。對於這個牽涉較廣的財政措施，郝院長仍一秉一貫理念對王建煊說：「我支持財政部，但是你要多做說明、溝通觀念，同時要拿數據出來。」

郝院長也同意，二十年前開個麵攤，是小規模營業，現在則不同了，「做了多少萬生意，沒有理由不繳稅，」他說。

副作用極大

儘管王建煊查稅過程中强調「愛心查稅」，給與逃稅者自動補稅的預警和期限，鼓勵自動補者不罰，也不公布姓名。然而不可否認，抓到幾個大戶重罰，產生不少副作用。

「查稅對於很多巨頭，當然是不舒服。但我的瞭解，財政部並沒有故意爲難。」郝柏村解釋，王建煊的查稅其實是很溫和的，要給人申辯機會，只要合法解決，補了稅財政部並不是「辦人」，對外也不宣布。

李登輝總統對查稅的事相當關心，有一日他對郝院長說：「你們查稅，把人家找去，像問案子一樣，問多少個小時。」郝院長很驚訝地說：「有這種事情？我回去查查。」

他立即問了王建煊，王部長說：「沒有這種事情啊！如果發生這種事，請告訴我，究竟是什麼人？什麼時間？什麼地點。」但是並沒有得到確切答案。

然而，唇亡齒寒，企業界的恐懼心理後來演變成「王建煊有反商情結」的耳語，進一步造成「倒王事件」。

這種倒王情結到了「土地增值稅」時達到顛峯。財政部相當清楚，在現行稅制結構下，證券交易所得免稅、土地交易所得免稅是二大免稅缺口，也是「股票、鈔票、選票」金權結合的禍根，更是助長社會貧富差距加大的火種。

怎麼對得起誠實納稅人

以王建煊的嫉惡如仇，他認爲：「這個不合理制度一日不改，我就會像是大飯桶帶著一羣小飯桶（指屬下稅務官），怎麼對得起誠實納稅人？」

土地增值稅不按實價課稅的不合理，是一個早爲人知曉的燙手山芋，改革它，不僅得罪早已被土地養大的「政治巨室」，更震撼一些「被誤導」的鄉下農民。

「有所得就該付稅」的財稅原理，此時已被泛政治化；政策尚未做最後決定，政治早已決定了王部長下台的命運。

明眼人深知：土地增值稅只是王建煊下台的導火線，真正的原因是查稅查得「太歲爺頭上動土」，得罪了達官巨室。

身爲院長，郝柏村豈會不清楚其中政治風險？然而他堅決支持王建煊的「問心無愧」，王建煊說過「全力查緝逃漏稅的成果只是手段，目的還是維護租稅的公平與正義」。

二年四個月的財政部長任內，王建煊共查獲逃漏稅近一千五百億；八十一年一年查到的漏稅七百六十二億八千萬元，等於當年全國地價稅、房屋稅、遺產稅的總和。

然而「租稅的公平與正義」只是在「不計後果」的勇氣中曇花一現。當王郝相繼下台之後，往後還會有多少大富會被查到逃漏稅，就不得而知了。

王建煊辭職風波

「像王建煊這樣的部長已經很難找了！」當王建煊爲土地增值稅辭職，郝柏村心有感慨地說。

擔任財政部長二年四個月，王建煊的作風常常被人提起，他的稅績常常被人忽略。一般民衆喜歡他，因爲他正直不屈、是非分明、伸張正義；代表利益團體的人卻不喜歡他，因爲他爲政不怕得罪巨室、阻擋了利益團體的財路。

評價二年四個月他的政績，郝柏村是相當肯定的，沒有增加稅率，稅收卻逐年成長。民國八十一年度比前一年實徵數增加了一千五百一十四億多元，成長二二・六％。這些稅主要來自貨物稅、遺產稅及贈與稅，還有土地增值稅。

事實上，薪水階級的綜合所得稅免稅額由五萬元提高到六萬元；夫妻可以分別申報所得稅；殘障特別扣除額增加，關稅也逐年降低。

稅率未增加、免稅額增加，稅收不降反升的關鍵，就在查緝逃漏稅，尤其是財富愈多的人，被查到的機會愈大，被罰的金額也愈大。

稅政得罪巨室

王建煊這種減低一般大衆稅負、緊逼高所得繳稅的政策和理念，得到郝柏村的贊同。也就是這種理念與作風，使王建煊不得不下台。

爲政不得罪巨室；古訓早已有之，王建煊正直的性格卻偏偏不從。他甫一上台，就特別對遺產稅和贈與稅追逼得緊。

他從媒體上發現許多商界聞人相繼過世，但奇怪的是遺產稅收卻寥寥無幾；他指示同仁注意這項稅收。

其中尤其是第一代企業主年事已高，他們紛紛將手持股分過戶給第二代，但轉移過程中，仍以股票票面值十元計算，或以和市價不相稱的極低價格計算；國稅局認爲極不合理，因爲這與實際價格可能差上幾十倍，繳稅也不公平。

許多數得出名字的大企業主因此動輒被逼補繳幾億甚至幾十億稅款，心中相當不悅，但也敢怒不敢言，「有的甚至打落牙齒和血吞，」一位瞭解內情的官員形容。

這些有相當財富的企業家，不可避免會將心中不滿在接近層峯時表達出來，或透過民意代表反映，甚至在自己掌握的媒體上操縱輿論。

在電腦查稅過程中，據說一位比部長更重要的富豪政壇人士，也變成補稅對象，引起中央黨部嚴重關切。

行政院支持王建煊是衆人皆知的，其他黨部、總統府內的管道卻不一定。因此才有民意支持王建煊，而民意代表「倒王」事件出現。

「看看支持王建煊的是哪些人、反對他的又是哪些人，就可以知道這些反對者究竟是爲了什麼而反對。」財政部的同仁十分清楚是什麼原因逼得他們的部長辭官。

中常會上受責難

民國八十一年八月五日，中常會臨時決定改由財政部長王建煊報告「當前財政狀況」。這一天，郝柏村院長去了馬祖，未參加中常會。

王建煊報告完畢，有五位中常委相繼起來說話，他們並不是針對剛才的報告發表意見，而將話鋒一轉，轉到「土地增值稅」上。他們一致認爲，財政部按照實際交易價來課土地增值稅，萬萬不可，「這是侵害人民的權益，會製造政治糾紛，使年底選舉大大的失敗，得不到人民支持。」他們這個「要爲年底選舉成敗負責」的大帽子，壓得王建煊承受不起。

事實上，「按實價課稅」政策是民國七十九年三月分在全國經濟會議中，一百多位專家學者共同的決定，而且這個政策見仁見智，可以辯論，並且尚未在行政院定案。

郝柏村回院後，祕書長王昭明向他報告，郝院長特別在一次高層會談中，就土地增值稅問題向李總統做報告。郝院長特別說明：「這是一個問題，我們要仔細的討論，尋求一個最合理的方法，現在還沒有定論。」

這樣的澄清顯然還是無效。就在九月底，台灣省議會、高雄市議會和台北市議會發動「倒王風潮」，要求撤換財政部長王建煊。

另一方面，包括中研院、台大、中華經濟研究院的七百多位學者，則聯名支持王建煊的改革。

外省部長搶本省土地

從地方開始發動的「倒王風潮」，盛傳著二個流言：「外省部長要搶本省老百姓的土地」，「有土地的人將來都會一無所有、掃地出門」。

一般鄉間農民口耳相傳，一旦實行這個按實價徵土地稅政策，將來賣土地，要繳九九．九%的稅，等於土地祖產完全被「沒收」了。

這樣的謠言引起的恐慌，甚且連留學美國的子弟都聽聞了。謠言到底是誰散布的，沒有人去查訪；爲什麼會有這種謠言，傳說很多。

郝院長曾就此事問過中央黨部高層人士，黨務人員一概推說不知情；但知情人士則說：「一位黨官民意代表親自發動連署的」。

郝柏村眼見政治人物對是非不分，十分痛心，他公開在行政院會中指出：「政務官但憑良知和理念，務實來決策，我們不怕得罪人。土地增值稅的本質和所得稅無異，我們能謊報所得嗎？政務官不能爲尋求妥協而失去是非。」他更坦率指陳：這是有心人故意挑起「省籍情結」。

李總統的關切

此時李登輝總統也爲此事二度南訪，他認爲王建煊「這次事件鬧大了」；就在爭議不斷、王建煊請辭過程中，報紙登載李登輝在接見台北縣國大代表時，公開表示「土地增值稅問題不宜泛道德化」。明顯地，他並不同意王建煊的作法。

此時更有傳言，民意代表要倒的不只是王建煊，而是針對支持王的郝柏村。

王建煊心裏相當清楚：土地增值稅問題只是一個導火線和藉口；身爲財政部長，決策可以討論，理念不能改變，但這種理念得罪高官巨室，遲早也會被打倒。

此時黨部人士又提王建煊的作風「會影響年底選舉」的說法；再指王建煊個人要爲國民黨選舉成敗負責。

九月二十二日，週二，王昭明祕書長告訴郝院長，前一天府院高層會議後，總統府祕書長傳達「王建煊應當更換」的意思；王昭明曾向蔣彥士分析不宜更換的觀點，蔣彥士也認爲「不應該換」。

不論上層爭議應該換、不應該換，不論是否公道自在人心，王建煊深恐因個人的施政累及提拔他的長官郝柏村，深感愧疚。他的辭意已定。

據說，他向郝院長提辭呈時，曾「聲淚俱下」；他的老長官李國鼎接受媒體訪問時也說：「政治是現實的，他留下來做，會有他的困難。」

郝柏村的感慨是，一個「會做事、不會做官」，真正爲一般老百姓的利益，正正派派做事的人被迫離職，「這個金權掛勾的社會，是多麼可怕和可悲？」

他在日記本上記下感觸：「當良知泯滅、是非不明、黑白顚倒的時候，就是國家社會大災難來臨的時候。政治的花招不會嚇倒我，多行不義必自斃。政治人物不能要權術、要花招，我們現在要做的是求好的政治，不是討好的政治。」

這時候，郝院長甚至考慮到自己：「我還要不要做下去。」

王建煊是下台了，王建煊事件反映的台灣政商形態不僅依然在上演，而且愈演愈烈。

王建煊眼中的郝院長

第一，我覺得郝院長這個人非常的黑白分明，很有正義感。黑白分明，清清楚楚。有一次我跟他報告一件事，他很生氣，没有正義感的人是不會生氣的。

一切照規矩

他從來没有叫我們做不合規矩的事，一切照規矩來；他也從來没有交代一個人事的案子。我曉得很多長官對人事案子特別有興趣，不僅次長，局長他都有興趣。我們決定次長、司長、署長人選，我禮貌上都會跟院長講一下，把履歷表帶去，分析一下給他聽，他把履歷表拿到手上，你曉得他没看啊，擺在一邊，你就講話，講完了他説「好好好」。

財政部要管很多銀行董事長任命，他從來没有交代説「誰不錯啊」，不要講説派誰去好了，連暗示性的話都没有講過。

有一次我記得，他講到「你們説誰就是誰，將來你們要負責任啊！」有責任我們負，這是對的，他講這個話我也同意。你看一個人是不是大公無私，就看人事權他要不要去干預啊！

第二，他從來没有交代過「有一個什麼人要做什麼遊樂區、做什麼公司、什麼土地，你替他想想辦法」。從來没有交代過這種事情。

第三，在政策上很多大的事情，我們當然跟他報告。報告他聽懂了以後，我可以説九五%以上的案子他都是支持的。

這兩年內財政部做了很多事，我很滿足，我們一天當兩天在拚，幾年没做的事我們都把它做掉了。做到最後的時候，枱面上的事都做光了。我講枱面上的事，我們列有一二三四五六……，做一個勾一個，勾完了，没有了，做到這種程度。

回想起來，如果没有郝院長支持，我有本事搞得動啊？頂頭上司，他如果不想弄，他給你來個「不過」，「不過要怎麼溝通」，「不過要再等等」，你也曉得搞不下去的，全是靠他的支持。

不用私人

郝院長找我做部長之前，他只跟我正式見過一面，其他不是酒會上就是集會場合，他們軍方我也很少聯繫。我現在追憶，他做國防部長時，在立法院備詢坐第一排，我坐第二排。後來我要辭了，我剛好代陳履安去立法院參加總質詢。他回過頭來問我：「你真的要辭職啊？」我說「是啊，辭職……。」可能那個時候他就注意到我這個人了。他惟才是用，不用私人。我們也沒在一起打過球，我也不打球。

有時候我也在想，這一輩子最後做到部長，剛好讓我碰到這麼一個院長，要不然的話，恐怕做不了太多的事情。所以我就講「上帝對我實在真好，也沒有早讓我做部長，也沒有晚讓我做部長，剛好在他任內做部長」，才能做很多事情。你只要敢拚，小事可解決，大事給他分析，聽懂了，就幹出來。

深入基層發掘問題

繼蔣經國之後，郝柏村是歷任行政院長中，最勤於跑基層的一位。

從七十九年七月上旬起，每個週末，就是他到基層探訪的時間；一年下來，全省二十一縣市全都看過。

「深入基層，是爲了瞭解各地情況，溝通觀念，也是爲地方打氣，」郝柏村以軍人實地瞭解政務的作法，顯現他絕不是一個關起門來的院長。

他到基層，除了聽簡報，更從提問題和實際觀察去瞭解。他重視施政計畫，常常問倒一些地方官員；也重視執行的累積成果，對各地方到底建設了什麼竟然沒有紀錄，「我非常不以爲然」。

這四十年來，台灣基層建設共花了一千億元台幣以上，成果卻不是累積下來的，一方面各地沒有建設的紀錄檔案，另一方面是毫無計畫。

「沒有計畫，沒有落實，」是郝柏村認爲現今台灣基層建設的二大問題。

踏實建設才有成果

郝柏村常以永和市做比喻，「總看到到處在挖馬路，爲什麼?因爲沒有整體計畫!」今天要裝水管，挖一次;明天要放瓦斯管，又挖一次;後天是電話線路……。

更嚴重的是，每改選一次地方首長，地方的建設又來一次大搬風。同樣的執政黨，但是不同樣的施政計畫。

一位經常隨郝院長巡視各地的工作人員舉防波堤爲例，「每造一次，就準備下一次被沖壞;郝院長的意思是爲什麼不可以有計畫實實在在的，一段一段把這防波堤按高標準造好。」

「踏踏實實的建設，一點一滴總可以累積下來，最後才可以按計畫落實完成，」是郝院長對基層建設最主要的理念。

遇到地方官員不用心建設，而漫天向中央要求補助時，他總是不假以顏色。

有一回，他到台中視察，地方長官依往例見到中央官員來訪，都是大吐困難，要求撥款協助。

他問這位官員「清水鎮一年建設經費多少?」，鎮長想了半天，才回答:「一千萬」，郝柏村說:「一千萬可以做很多事啊!」

大甲鎮長報告，也依舊提出財政困難，要求補助款一億元。郝院長反問他經費都用在哪些地方？過去的建設是哪些？有沒有做成報告？鎮長無法回答。

「我不客氣的說，我們的鄉鎮長對基層建設都不太瞭解，」他的直言不諱指出了現今地方建設的失誤。

院長不是散財童子

又一次，他訪省府中興新村，適逢兩次颱風之後，地方災害復建，需七億多元補助，連同其他項目達百億元。

郝院長對省府未能更精確的計算災害，不太滿意，認爲有「漫天叫價」之嫌。他說，平常一億元的新台幣一張張算，也要數上半天，「何況幾十億的巨款」。

「行政院長到基層訪問，不是去做散財童子、聖誕老人，拉攏關係，建立自己的人脈；政府國家的錢都是全體老百姓的錢，不能隨便去用，要用得有效率。」郝柏村解釋，自己對基層的要求，要合理才能補助。

行政院撥款五億元給高雄市整建自來水管，就是一個例證。

郝柏村任閣揆後不久，到高雄市巡視，看到路邊有賣水的，覺得很奇怪：爲什麼還要買水喝？

原來高雄市的自來水管老舊，自來水質很不合規定，民衆都不敢飲用。郝院長說：「這個不像話。」立即決定全額撥款五億元給高雄市修自來水管。

郝柏村始終相信中央和地方是一體的，「實際上，中央花的錢都在地方。中央辦個大學、修條鐵路、公路，都是爲地方；所以在台灣，中央和地方很難分、不必分，」郝院長懇切的告訴地方人士，中央做事的心情。

他也同樣對中央同仁說：「公務員光坐在辦公室看公文是不行的。」每回下鄉，他總是帶著相關部會首長一起。通常幕僚人員先瞭解院長到哪裏參觀，安排參觀些什麼，再排相關人員名單。

這位幕僚人員說，「院長做事比較明快，希望當場解決問題，」讓相關首長陪同，一方面希望中央首長多聽基層民衆的聲音，另一方面視察過程中可以當場溝通與解決問題。

基層建設如流沙

在下鄉的過程中，確實使郝柏村瞭解到許多地方基層的問題。他常常提到：「水資源的分配與管理是一個問題」，他到高雄市、縣，發現有的縣「擁水自重」，「把國家的資源變成地方資源」。

去看翡翠水庫，發現水管理機構分歧，標高若干公尺以上歸林務局管，多少公尺以下歸水源區委員會管；也就是一個集水區，可能一部分歸省、一部分歸市管理。

在有限的水資源中，分配也不合理，占GNP僅五％的農業，用水則占了全部的八○％，將來必會引起「搶水」的憂慮。

在屏東、枋寮一帶地層下陷嚴重。台灣「住人的地方十分之一已經下陷了，」郝院長十分沈痛地指出。

每年地層下陷十五公分，禍首是超量抽取地下水；其中很重要的一個原因是養殖漁業的大量抽取地下水。

面對這種沈入海底的現象，郝柏村最憤怒的是「地方政府完全不管，執法不嚴，無形中把社會成本、國家成本都付出去了。」

中央與地方是一體的

中央與地方是一體的觀念，有的是無形的資源，有的是有形的財源。然而不論無形與有形，都被嚴重扭曲。

對於地方財源，他在與四百多位全省鄉鎮代表座談會中說，「地方該收的錢要認真的收，像土地受益費、土地增值稅都是屬於地方的錢，」他認爲地方稅只要没有個人私利或特權關說，都是可以切實收到稅的。

尤其後來引起風波的土地增值稅，明明「按實價徵收」，真正得利的是地方政府和地方民衆，然而反對最力的卻也是地方議會。這豈不是矛盾？是特權不打自招？

由於常跑基層，並且帶著相關首長同行，郝柏村相信：他的內閣很清楚地方的問題與民間的需求。從地方及鄉鎮視察回來，常常使他難過好幾天。他覺得：當大家都瞭解問題之後，各級政府應當要切切實實相互配合，做好基層建設，真正的爲人民做些事。

全人格的教育

俞大維先生對經常向他請益的郝柏村說：「國家的安全在軍事和外交；國家的根本在教育與經濟。」

郝院長初上任時，曾對教授們說，「教育我是外行」，但半年之後，經常倡導教育正常化的呂俊甫教授指出，郝院長在中小學教育建設研討會上，痛陳中小學教育現況超過一小時，「他已注意到教育問題的重要，瞭解教育問題的所在。」

面對著關係國民基礎教育的中小學校長，郝院長說：「國民教育的基本目標，就是教育下一代做個堂堂正正的中國人。」

升學主義扭曲教育

他對目前的升學主義扭曲了國民教育相當不滿，他說「只重視三〇％升學的人，忽略七〇％不升學的人，太不合理了。」

因此他全力支持教育部長毛高文推動「國中畢業生自願就學方案」，强力維護按常態分班。

在全省中小學教師座談會中，他指出，倫理道德教育和生活教育才是基礎教育的根本。

他不明白：爲什麼選舉時，那些受了教育的人還會爲三、五百元被收買？爲什麼兩千萬人中一年有十萬人犯罪？爲什麼南部有兩個小學生出來搶領一個獎品，校長還幫著說謊？

他說：「一個國家的確需要知識分子，但更需要健全的國民，」健全的國民，要德、智、體、羣、美並重，「知道做人基本的道理。」

在目前升學主義的陰影下，過度補習和功利心態主導校園，「按能力分班，比升學率，督學來了叫學生撒謊！」他說這樣的老師教出來的學生，成績再優秀，「也不會是一個健全的人」。

他說：「如果教育人員沒有良知、良心，會是個極令人憂心的問題。」

對當時南部有二個小學生冒領獎事件，著重誠實教育的郝柏村大不以爲然，他說：「我對這件事表示了意見，我認爲這等於是校長幫助學生說謊。」

毛高文改革教育的「自學方案」，儘管當時許多人士持不同意見，包括李登輝總統、做過大學校長的李元簇副總統和曾任教育部長的蔣彥士祕書長都反應：家長反對聲浪高、技術上不可行……郝柏村則堅持：「不能站在升學立場來看國民教育，要注意教育的方向。」

他建議毛部長，升學聯考不能考課本外的題目，考題要簡化。

「禮」是教育重心

也許是與軍中背景有關，郝柏村特別強調生活禮節教育，到各地學校參觀，他要去看廁所乾不乾淨，冷氣和電扇是否藏污納垢。他說：「倫理是內在的，形之於外就是禮節。」

許多人受了高等教育，但基本禮節卻沒有。他記得剛上任不久，到輔仁大學參觀，正遇中午，他特別去學生餐廳吃幾十塊錢的飯，那些大學生見了他沒有反應；倒是到鄉下巡視，還有不少目不識丁的老人家和他打招呼。

有一回主持文藝獎頒獎，過去都是領獎人到院長前面一鞠躬領獎。郝柏村覺得對這些藝文界有貢獻的人不大尊敬，因此主動改爲院長走到領獎者位子上去，以示禮貌。

他說，過去中國傳統的「禮部」就是教育部，「是拿『禮』字來作教育的中心。」

二年九個月行政院長任期中，他對大學教育也有不同的理念。

首先，他要改變過去大學「進去難、出來易」的觀念，進了大學「任你玩四年」的時代宣告結束；他也贊成大學學費做合理調整，低學費政策時代是過去台灣所得偏低情況下的措施，「現在很少有人因爲付不起學費而上不了大學的，同時對清寒學生，政府可以提供獎學金」；一方面私立大學提高學費，才能改善品質，另一方面它的組織也要嚴格管理，不能成爲私人產業或家族企業。

全人格的教育觀

對於中原大學張光正校長倡導大學中强調「全人格的教育」的重要，他深有同感，他說：「全人格在於善惡的區分、正義公道的觀念、人文的修養，這是人格的基礎。」

多年來，我國的教育大半由學師範教育的人主導，外界對他們「不夠開闊」的批評，郝院長也有聽聞。他認爲經國先生任命毛高文這位非師範系統出身的人當教育部長，是有特別意義的，更對他改革我國教育寄予厚望。

他常對毛部長說：「任何改革一開始必定會受到阻礙；一定要加强溝通，化阻力爲助力；追求理想的心不能鬆懈。」

任內，郝柏村也檢視過當前的師範教育。認爲目前師範學校的公費制度與加入聯招都有待商榷。公費是大陸貧困時代的產物。過去只有有錢人念得起大學；沒有錢的人，如果成績好，只有二條路，一是考中央政治學校，出來做官，一是考師範學校，出來教書；二所學校都是公費。

現在台灣情況不一樣，沒有錢的人少，「公費已經沒有意義了，」他解釋。

「師範教育一定要讓那些有志於一生從事教育事業的人來讀，」這是郝柏村的體會。他認爲目前大專聯考，主要按分數來分發，與「志業」並不一定相符。如果不是對教育有終身奉獻的志向，將來從事這一行，也不一定會全心投入來真正辦好教育事業。

郝柏村的這個看法，在他行政院長任內應可以主導，卻沒有能實現，倒是值得主管教育者思考。

經濟奇蹟文化弱智

如果教育是生活的根本，文化就是生活方式的體現。

台灣四十年經濟的成長，產生了舉世聞名的經濟奇蹟，然而財富增加，國人的文化反趨低俗，成爲弱智兒。

根據調查，台灣每人每月花在書報雜誌的錢是一百三十四元，訂不了一份報，買不到一本書，但是每年喝XO洋酒的總數可以修築一條高速公路。

歷經金錢遊戲的誘惑與功利主義的擴散，社會上瀰漫重利輕義、追求自我的文化價值。要重整社會價值，確實要費一番心力。

爲了在六年國建中把文化建設列入，文建會特別舉辦「全國文化會議」。面對上千位文化界人士，郝院長說：「文化大國是一切建設的源頭，我們的六年國建計畫，就是要建立一套有利國家、有益人民的生活方式。廣義來說，全屬文化建設。」「勤儉樸實的生活、傳統倫理的道德和恢宏包容的文化」，是他對嶄新時代文化的期許。

推崇儉樸生活

他對王永慶先生衛生紙一用再用的習慣，特別推崇；他對士林紙廠陳朝傳的父親批評兒子搭飛機太浪費：「同一架飛機、同時到達，爲什麼要花兩倍的價錢坐頭等艙？」印象深刻。

他提倡「便當文化」，每到基層視察業務，必定吃便當；到學校參觀，也喜歡赴學生餐廳花幾十元用餐。

部屬好友都知道他喜歡看平劇，卸職之後，在國民黨十四全會舉行的前一個禮拜，他創下每天晚上看戲的紀錄。

傳統的國劇，多講「忠、孝、節、義」，這是在現代社會中逐漸消失難覓的倫理，也是他心中理想的中國文化情操。

民國八十一年二月農曆除夕，他曾上街瞭解市況，看到寫春聯的，覺得「春聯是一個很能反映倫理文化的東西」。商業化的如「恭喜發財」、「招財進寶」；他也發現一副很好的對聯：「書有未曾經我讀，事無不可對人言」。

處世無奇但率眞

第二年農曆春節，正逢郝柏村是否總辭問題甚囂塵上，陶百川先生來訪，他以春聯贈予從政之人：「傳家有道惟存厚，處世無奇但率真；德亦無常，有生有滅，福之於我，若即若離」。

他認爲「中國傳統文化的現代化，與西方知識經驗的中國化」，是拓展現代中國文化的兩件要素。文化是一種生活方式，是一種社會價值觀，「所有行政院施政的目標，都在建設一個有利國人的生活方式和價值觀——文化。」

對文化的重視，郝柏村做的多，説的少；他對文化的體驗，是不唱高調，身體力行。

李郝共識

曾經兼任過中山科學院院長的郝柏村，深知科技與教育是我國成長的命脈。

當李遠哲院士在八十一年秋天返台大講學時，郝院長曾數次與李院士談到台獨意識背景、兩岸關係，其中暢談科技與教育最爲投契。

李遠哲認爲台灣目前做基礎研究的人太少，因爲出路不易；民間研究機關也相當缺乏。以台大爲例，大學部學生不差，但研究生較差，博士班學生也不夠。要真正做到科學學術生根不易，「因爲找不到好的研究助理和技術」。

政府要扮演積極主導角色，是李遠哲的建議；郝柏村完全同意。他也提到，過去丁肇中院士選拔優秀物理系畢業學生出國深造，選上當時在陸軍服預官役的年輕人，「我們特准他提前退役，出國進修。」

談到以優厚的講座制度，邀請世界級科學家來台灣，李院士和郝院長的看法一致。郝院長也說：「甚至包括大陸的科學家。在報酬上，對這些頂尖人物，應當優厚；我最反對平均主義。」

稍後在中研院的院士會議上，郝院長在致詞中，他强調學術無國界，天下一家、地球村與大同思想；並說「學術交流是兩岸化解敵意，促進統一的先導。我們要努力爭取世界水準的學術地位。」

弱勢團體不再弱

「院長每次到地方巡視，一定要看醫院、學校，尤其是殘障醫療的照顧，」安排基層活動的幕僚人員都清楚，郝院長對弱勢團體的注意。

郝柏村是第一個參觀麻瘋病院的閣揆，也是第一個拜訪精神病院的行政院長。他對殘障者的真正關切，正如他心中以長子任紅十字會義工爲榮。

「一個家裏如果有一個智障小孩，有一個植物人，或者有一個精神病人，全家人都要照顧，都受到影響，」郝柏村每次到醫院視察，總要問：「有沒有照顧植物人、精神病患的床位？」

政府要照顧殘疾族羣

在他的理想中，如果政府能照顧這些殘疾的族羣，就可以解決不少家庭的憂慮。

台北市的植物人有七十多個，他就指示台北市要成立一個植物人照顧中心，「這樣就把七十幾個家庭的問題解決了。」全省有一萬五千名急需照顧的精神病患，他就認爲「政府應該趕快鼓勵醫院設精神病床」。

當立委質詢我國的社會福利預算相對的偏低時，郝柏村毫不諱言這是事實，並「樂於動用行政院第二預備金支援」。

然而他也覺得正因爲有限的社會福利預算，政府應該有優先次序，要先照顧貧苦無依疾病的老人、精神病患和植物人。

老人安養要自費

任何一個社會都會面臨老人問題，高齡化社會出現已是世界趨勢。深以「禮記禮運篇」爲理想社會境界的郝柏村，極肯定中國傳統的「三代同堂」。他說：「老人福利我們不要學西方國家，還是以中國的孝道爲主，由子女來奉養。」

即使子女無法親自奉養，照顧老人的能力，政府的角色畢竟有限。私人興辦老人院或許是另一個途徑。內政部長吳伯雄曾經提出由中央政府在台北縣或基隆市附近，建蓋一所示範性的自費安養中心。郝院長非常贊同，他認爲：「自費安養是世界各國社會的趨勢。」

弱勢團體待保護

農、漁、林業人士在過去是傳統社會的主導力，工業發展、鄉村人口外移後，他們成了弱勢團體。占人口一二％的農業，國民生產毛額卻不到五％，郝柏村在深入瞭解後才發現：「台灣的農產技術和防治病蟲害的專業都不差，但產銷制度嚴重落後。」他巡視過台北市果菜市場，也參觀過西螺蔬菜專業區，裏面的無組織、髒亂，「哪裏是一個現代化社會的市場？」當他更進一步瞭解價格時，更激動的說：「簡直都是菜蟲剝削嘛！」

對於台灣的農業發展，他研判有兩項大的阻礙：一是產銷制度不健全；另一是專業農民很少，兼業農民很多，農業的保護政策又與國際化、自由化相矛盾。

愈深入基層訪視農林漁業，郝院長愈憂心不只是城鄉經濟的差距，更是現代化觀念的差距。

漁民已不再打漁，用的是政府補貼的便宜油價，做的是走私買賣，「農產品走私進來，大街小巷都是大陸來的私貨，」郝院長說，「買大陸魚來賣的，還比走私稍好一點！」

林業人士大肆砍林，「原來每年規定可以砍二十萬立方公尺，我後來把它取消了，」有鑒於維護台灣生態環境不易，許多不合時的舊規定也被改掉。

養殖漁業大抽地下水，「把子子孫孫的資源都用盡了，」郝柏村眼看這樣的民間私利行爲，地方政府不管，相當著急。

在台灣的現實產業環境中，農業每下愈況，從事農業生產的農民福利也缺乏照顧。郝柏村在六年國建中推動「農業零成長」政策。他說，這並不表示農民收益零成長，相反的，他認爲政府應該對農民有更好的照顧。在卸下行政院長職務前，他宣布實施「農民年金制度」。

這個制度是一種保險制度，也就是農民在農業生產期間，每月固定繳保險金，滿十五年以上，或年滿六十五歲，農民也可以申請退休，退休後按月領退休金。這也是一種兼顧農民儲蓄和政府保護弱勢團體的社會保險制度。

不過郝院長也强調「福利和保險是不一樣的」。

全民保險如何做到？

把福利和保險混爲一談，是現今社會的普遍現象，「自己要少出錢，政府要多出錢；自己要得到最好的福利和照顧，卻不珍惜這些資源，」郝院長指出台灣公務保險的弊端。

有一則笑話流傳坊間：公保醫院門口，老王問老張：「奇怪，老李今天怎麼沒來醫院？」老張答：「他啊，今天生病了！」

勞保和公保虧損，每年超過百億台幣，瞭解實情的人都很清楚：問題出在「浪費」。病不論大小，一定要到最好的醫院，拿最貴的藥。

「這就是把保險當成福利，」郝柏村指出，我們的勞保和公保，由於投保人自己負擔的比例太小，造成很大的浪費。

不浪費、不虧損原則

預定在民國八十三年實施的全民健康保險，在草擬過程中，郝院長最重要的指示就是：「不浪費、不虧損原則。」

八十一年七月，衞生署長張博雅在完成第二期規畫後指出：「全民健保主要是把公保、勞保和農保整合起來，成爲全民單一的保險制度。」

爲了達到不浪費原則，强制性的全民保險採投保人費用部分負擔制；同時有年度總預算制。在不虧損原則上，還必須建立獨立自主的財務責任制。

要爲二千萬人開辦全民保險，確實是一個高理想，也是一個重包袱。據估計，第一年的經費就是二千五百億，還要籌設中央健保局。

「如果大家還有繳了錢，就要把錢拿回來，自己少繳錢，政府多繳錢的觀念；最後虧損還是要由全民來負擔。」郝柏村點出全民保險要達到公平合理，是要全民支持，成效與否和大家都息息相關。

這樣的觀念是否能普及？這麼大的計畫能否如期實施？「恐怕還要視勞保、公保與農保修正草案，是否先通過立法院審查了。」

與郭主委一同參觀六年國建的建設，對郭婉容的78分主義讚賞有加。

在土地改革風波中被砲轟下台的王建煊，在郝院長眼中是難得的清官，81年10月22日頒與一等功績奬章。

與李遠哲院士就台灣教育及各項問題交換意見。

農民在層層剝削下毫無利潤可言，
他認爲菜價太貴是產銷制度有問題。

郝院長關懷社會福利是否照拂到眞正需要照顧的人，造訪新竹仁愛啓智中心與院童聊天。

79年8月巡視湖口台地，非常關心地層滑動問題。

於81年參加全國童子軍大露營，極重視全人格的教育。

星雲法師說郝院長是「金剛外衣、菩薩心腸」。

第六章

民主像單軌的火車

日記摘述

「站在執政黨的立場，一個監察院副院長，黨不應該不提名，沒有理由不提名。要提名，黨裏面要經過提名的程序，怎麼可以弄到最後這種情況？這就是他內心裏贊成林榮三做監察院院長，表面又怕提名金牛，不願意負這個責任。」

「三月二十五日李主席對國大黨員講話，他說『公民直選與委任直選一直是並案考慮中。』這是不正確的。在他主張直選之前，國民黨沒有考慮到直選。他也在談話中表明，他支持公民直選是他一貫態度，但既然一貫，他為什麼早不指示？」

「民意可以看做聖旨，但是不能假傳聖旨。我反對金權介入政治，從我去行政院到離開行政院，始終一貫地反金權；最後不得不離開行政院，反金權也是主因之一。」

「三中全會大家有很多不同的意見，這並不表示就是黨的分裂，或是權力鬥爭。我認為凡是講不同意見的就是分裂、就是權力鬥爭，這是一個不健康的民主心態。難道一言堂就是民主嗎？」

「黨要選舉勝利，目的在哪裏？是貫徹黨的政策？還是幫助派系、金權的護身符？我認為今天的黨不是貫徹黨的政策，是做了派系及金權的護身符。黨的形象已經被他們這些人篡奪、騙取。黨的靈魂不存，黨的軀殼和招牌給派系、金權所篡奪了，這在中國國民黨是件可悲的事。」

修憲路崎嶇

民國七十九年三月十六日，國民大會第八次會議在陽明山中山樓召開。老代表們通過了「行使創制、複決兩權」和「國大每年集會一次」的提案。

蔣經國總統過世，戒嚴解除，在一片民主、多元化的期盼聲中，這些被民間認爲已不具代表性、年事甚高的老代表們擅自決議擴權，還要求提高待遇，頓時引起山下知識分子激烈的憤怒。

大批學生羣集靜坐中正紀念堂廣場；抗議延續了六天，没有停歇的跡象。他們要求李登輝「解散國民大會、廢除臨時條款、召開國是會議、擬訂政經改革時間表」。

由於總統、副總統選舉大權仍掌握在這些資深代表手上，三月二十日以前，李登輝對學生抗議並没有任何反應，他靜待正式成爲總統後再動作。

三月二十一日，李登輝當選了中華民國第八任總統。當天晚上，他立即召見五十位學運代表，承諾提前開國是會議，但認爲修憲至少需要兩年時間。

接著，李登輝總統在當選後二週內，邀請民進黨主席黃信介到總統府「喝茶」。黃信介代表民進黨提出四項訴求：⑴制定憲政改革時間表；⑵平反政治案件；⑶徹底落實政黨政治；⑷有效維護治安。

李登輝也向黃表示：兩年完成憲改目標。

黃信介事後指出：「李登輝總統非常賢明，相信他一定會做好總統這個角色。」

民進黨的「李登輝情結」從此被傳揚開來。

三度宣告憲政改革

民國七十九年五月二十日，李登輝在總統就職演說中明確宣示：「一年內宣告終止動員戡亂時期，兩年內完成憲政改革」。

這是李登輝第三次公開宣告「憲政改革兩年內完成」。一般推測：憲改事實上在他腦海中已有雛型；也有一批幕僚人員在做研究。

研究和討論修憲問題，陸續在學界、政黨和媒體上出現，其中又以張榮發的國家政策研究中心做得比較積極，舉辦過民間國建會，並集册出書。

民進黨則推出不同版本的「民主大憲章」、「台灣共和國憲法草案」；再加上無黨籍吳豐山等人的「基本法」等，方案不下七、八種。派別大致已成修憲和制憲兩大派，另加基本法派。

國是會議風波

回應學生的强烈要求，李登輝總統決定自六月二十八日起，召開一週的國是會議。

在國是會議前一週，司法院大法官會議針對第二百六十一號的解釋案出爐：「爲反映民意、貫徹民主憲政，除了已不能行使職權或經常不行使職權的第一屆中央民代應查明解職外，其餘應於明年十二月三十一日以前終止行使職權。」這則釋憲正式宣判了老代表在民國八十年底全面强迫退職。

引起全民注目的國是會議，網羅了朝野代表和學者專家，十分熱鬧，也引發爭議。會議之初自由派學者如胡佛、李鴻禧，認爲它已成爲「政黨協商會議」，宣布退出不願背書；後來另一些學者專家也有同感，還發表共同抗議聲明，對草率通過總統直選方式不滿。

執政黨內部，則流派之間暗地運作。在修憲上，大原則黨內較一致——主張修憲。在總統選舉上，則有一股和民進黨「聯合陣線」——主張直選的態勢出現，與原有一貫的委選主張大相逕庭。

一批海外學人提出「中國政治文化是屬於家長式文化，沒有權力中心就會紊亂」的理論，主張總統應直選。民進黨要走上執政之路，一對一的總統直選最是捷徑。這二派動機不同，目標卻一致——總統直選。

最後國是會議朝野勉强達成兩個共識：㈠採取修憲方式；㈡總統直接民選。

這兩點共識間立即出現一個矛盾點：總統制與內閣制之爭。

憲法是內閣制精神

中華民國憲法，排開臨時條款，它的基本精神是內閣制。憲法第五十三條規定「行政院爲國家最高行政機關」；第三十七條規定「總統依法公布法律、發布命令，須經行政院院長之副署」；第五十七條明定行政院長必須向立法院負責，若不獲立法院支持必須辭職。

修憲基本上是要保持憲法精神——內閣制；然而總統直接民選，有了民意基礎，就不可能是一個虛位元首，而傾向總統制。

內閣制、總統制的爭議，各有各的說法，然而在執政黨內部，以及後來的修憲過程中，都明顯看得出暗流主導的跡象。

根據媒體報導，包括李登輝本人都較傾向總統直選；總統制的修憲方向隱約可見，也因此產生後來的曲折變化。

防止專擅、防止濫權

贊成內閣制的台大教授胡佛，常引證當年參與制訂中華民國憲法的張君勱先生所言：「憲法上第一件事，就是要防止國家的專擅，就是防止國家濫用權力」，他認爲「如果人民對自己的權利及政府的不法橫行，不以爲意，則憲法絕不能保障人民基本的權利」。

郝柏村對修憲的看法基本上比較傾向維護憲法原有精神，他倒不是認爲今天自己是閣揆，所以要內閣制。他覺得，「制度是一切的基礎，人只是制度上的一個作用，人有時盡，可以換來換去；制度卻是千秋萬世。」社會要有民主，不能只靠人，要安定也不能只靠人，惟有制度，才能使國家長治久安。

國父孫中山先生當年建國時把政權與治權說得相當清楚：一個是政權，人民有權管理國事。這個政權便是民權。一個是治權，要把這個大權，完全交到政府機關之內，要政府有很大的力量，治理全國事務。這個治權便是政府權。

人民的政權是選舉、罷免、創制與複決；政府的治權是行政、立法、司法、考試與監察。五個治權建構五權政府，而以行政院與立法院爲決定國家政策的主軸。

在權責體制上所規畫的是：對總統而言，國家的法律、命令皆須經總統公布或發布，但皆須經行政院長，或行政院長及相關部會首長的副署。對立法院而言，行政院長是由總統提名，經立法院同意而產生，就其職權向立法院負責。

根據這樣的權責來畫分，我國實在是責任內閣制。

憲改小組的背後

七月四日，國是會議閉幕，一週後，國民黨在黨內設立「憲政改革策畫小組」。「憲改小組」由李元簇擔任總召集人，下分法制和工作二小組，分別由林洋港、邱創煥擔任召集人，正式開始國民黨第二階段的憲改工程。「法制分組」討論修憲程序採「一機關兩階段」，也就是保留國民大會，由八十年底選出的新國代主導實質修憲；國大採「委任代表制」，行使選舉總統之權。

在憲政改革上，郝柏村與李元簇的看法並不完全一致，也對「有某人影子」表示不滿。「他順應李總統的指示，當然也是民進黨的壓力，中央民代應以台灣選出代表爲主體，這是不錯；但不能連全國象徵性的代表都沒有，那就變成台獨或獨台了。」郝柏村認爲中國國民黨有自己的立國精神，要有自己的修憲想法，不能跟著民進黨走。

在討論過程中，不可否認，李元簇具主導地位，一方面他深諳法律，一方面他更瞭解李總統的心意。

李登輝總統公開並未對憲改有任何指示，私下影響則不可避免，據新聞媒體報導，一次小組會議中，林洋港曾轉達與李主席溝通時的幾點意見：⑴在八十年五月二十日前，動員戡亂時期廢止；⑵國安局未必需要設置於總統府組織條例中；⑶人事行政局列入行政院管轄，引起考試院反彈，應予審慎研究；⑷有關憲法三十七條行政院長副署問題，是否違反五權分立原則，可詳加研究。

敏感的閣揆副署權

這四項指示中行政院長副署權最爲敏感。過去幾十年，包括總統府祕書長、五院院長、大法官及考試委員的人事命令，都要由行政院長副署。李登輝大不以爲然，他甚至在一次場合中公開指出，這些職務任命「明明就是監察院長副署才對！」

因此在憲改過程中，李元簇曾有意修改爲「與行政院事務相關的，才需行政院長副署」。郝柏村不同意這種看法，他說：「這同憲法的基本精神不符！」

行政院長副署權原是憲法中制衡總統獨裁的規範。當年蔣中正總統有意升聯勤總司令陸軍中將黃仁霖爲二級上將，但當時行政院長陳誠拒絕副署而作罷。民國三十八年李宗仁做代總統時，要免參謀總長顧祝同的職務，當時行政院長閻錫山不同意，且拒絕副署，因此顧祝同的職務並未被免掉。

郝柏村院長任內，他並未濫用副署權，他雖不認爲劉和謙任參謀總長是最佳人選，仍立即簽名副署；陳履安轉任監察院長，他也是報上披露後才知道；對蔣仲苓升一級上將，僵持一年後，他決定副署，但也決定在副署後一個月內辭職。不過這個決定未爲蔣彥士祕書長接受；這個人事命令也因此壓下來，變成李郝之間解不開的心結。

直選委選急轉彎

儘管行政院長經常與總統單獨見面，但多是郝柏村請示及報告行政院事務，李總統極少談及自己對很多重大事件的想法，包括憲政改革這樣的重大事務。這樣的單向溝通是造成往後二人對許多事件意見分歧和心結難解的原因。

憲改過程中，最引起爭議的一件事是總統選舉的方式：採委任代表制或直接選舉制。一直以來，憲改小組都朝著「委任直選」方向規畫，其間八十年底國大代表選舉也以此爲訴求，並未出現不同的聲音，且贏得選舉大勝。

八十一年二月二十七日，當李元簇將修憲小組對總統選舉的共同決定——「委任直選」報告李登輝時，李總統不同意這個決定。

他以個人「深入基層、瞭解民間要求公民直選」爲由，不同意憲改小組只採用「委任直選」單一方案，並指示將「委選」與「直選」二案並陳，交由中常會來決定。

雖經兩天來李總統的個別溝通，許多中常委並未被李主席說服。三月九日的執政黨中常會上，持不同意見的兩派人士旗鼓相當，人數相同。因此中常會又不得不決定採兩案並陳，再交國民黨三中全會來決定。當時贊成總統直選的中常委有林洋港、錢復、趙自齊、鄭爲元等；反對的是謝東閔、李煥、邱創煥、郝柏村、許歷農等。

李總統二次談直選

郝柏村一開始即傾向委選，他也能理解林洋港贊成直選的心意。

對於這件事，李總統曾在三月四日和三月七日和郝柏村分別談過。

郝柏村清楚記得三月四日中常會後，李主席問他：「總統直選怎麼樣啊？」他回答說：「總統直選和委任直選差不多嘛！」李又說：「這樣你同意總統直選了？」郝答：「我覺得兩個都差不多。」

他當時認爲這麼嚴肅重要的問題，是需要經過詳細商討、甚至辯論的，李主席這樣二、三分鐘輕描淡寫的談，他能如何回答。

「一、二分鐘的談話，就放空氣說我也贊成直選。」郝院長相當懊惱。

後來總統府人士果然就說郝院長也同意直選。

三月七日，李總統又找了林洋港、邱創煥、郝柏村等人至總統府。總統當時認爲直選「這是民意啊！」」；林洋港是贊成的，但邱創煥反對，郝柏村也不同意。

郝柏村認爲，前一年底執政黨國代候選人都以「委選」爲政見，獲得大勝，當然表示民意是贊同「委選」。「民意可以當做聖旨，但是不能假傳聖旨。」郝柏村當天在記事本上記著。

修憲上關鍵的一天

愈接近三中全會，台北的高層政治氣氛愈凝重，李主席也意識到情況有異，因爲連李元簇對突然由「委選」變成「直選」都覺得唐突。

三月十一日上午，宋楚瑜感覺事態嚴重，特別拜訪郝院長。郝柏村向宋表示個人對修憲的五點重要看法：一、總統直選不代表是總統制；二、行政院院長副署權不能削減；三、總統直選一次投票，以較多數票當選；四、總統任期改爲四年，總統、副總統補選由國大代表行使；五、立法委員任期改爲四年，與總統任期一致。

當時郝柏村還向宋楚瑜談及：爲了表示李總統對修憲的客觀性，他既已宣稱任滿後退休不再連任，如果重申自己無連任之意更能取信。

宋楚瑜當即表示：總統已一再說過不連任，現在總不好再要他明確表示吧。

宋祕書長立即往總統府向李總統報告。李總統同意，並當晚邀宴政要，以建立修憲共識。當天，李主席在台北賓館的晚宴，請了李元簇、郝柏村、蔣彥士和宋楚瑜，但李元簇婉拒參加。

這一天是中華民國修憲史上十分關鍵的一天。

後來憲改增修條文就是照這個共識決定的；只因國大開會與立法院鬧意氣之爭，立委任期仍維持三年，而成爲修憲史上的笑柄。

這期間正值立法院院會期，當立委以此質詢郝柏村時，郝院長直言：「現在不是總統制，將來也不是總統制。」

三中全會氣氛凝重

三月十四日，三中全會開幕。會場氣氛凝重，對峙之勢如山雨欲來風滿樓。預備會議上，議事規則就引發爭論火花。「這些爭論是對李主席威望的挑戰，也展開黨內民主的序幕，」郝柏村回憶當時情況說。

第二天會場辯論更激烈，很多重要人士如李煥、邱創煥等，爲了排隊登記發言，連中飯都沒吃。「委選派」辯才無礙，六十多人發言，其中邱創煥、高惠宇咄咄逼問「黨的決策過程」、「何以策畫小組不能提出說明？」李主席緊皺眉頭，全場邊聽邊記，未發一言。

黨祕書長宋楚瑜相當清楚情況不妙，據説他也認爲本來委選案沒有改變的話，三中全會可以通過，現在任何一個案都有問題，「如果進行表決，變成火車相撞，黨要分裂，」郝柏村形容。

會議持續到夜間，最後幾位重量級人士林洋港、邱創煥、李煥、蔣彥士和郝柏村共同商討「總統選舉方式不做決定」折衷方案。

這個案在幾位大老帶頭簽署後，宋楚瑜找了過半數（一四六位）中央委員簽名。郝柏村也提出：「明天上午我來擔任主席。」

第三天，在不經過表決下終於定案。把問題留待下一屆總統選舉前再做決定。

對於這一次的急轉彎事件，「李總統似乎並未記取教訓，而認爲隨時可以發動民意，貫徹他的意志。」一位官場人士説。李登輝主席在十天後對國大黨員説：「公民直選與委任直選一直是並案考慮中」。「人人都知道這是謊言。」另一位人士指出。

總統與國大擴權

執政黨後來把二十一條修憲初步方案彙整成九條，都是照台北賓館餐會共識所擬，但學者批評強烈，認爲矛盾處很多。矛盾的主要重點在總統與國民大會雙雙擴權下，造成雙首長制、雙國會制。

報載，法學教授們認爲，執政黨一黨修改出來的草案，總統的職權大幅擴增——監察委員由總統提名，根本不是回歸憲法，而是回歸臨時條款。政府體制出現有責無權及有權無責情況，將不利於推行民主政治，也不利國家長遠發展。

目前這種雙首長制、雙國會制，使國家權力分屬兩條軸，一爲行政及立法兩院；一是總統及國民大會。如果有一天，行政院長及總統分屬不同政黨，總統以軍令指揮作戰，而不能獲得擁有軍政權的閣揆支持，國家如何發揮軍力？

另外總統提名監察委員，監委又如何能對總統行使彈劾權？

對於雙首長制，郝柏村說，「事實上我不贊成，法國雙首長制就出現問題；然而目前也許是個折衷辦法。將來，一剛一柔就和諧，兩者都剛，難免磨擦，兩個人都柔，一定會出問題。這是不合理的。」

只可惜憲改結果留下的後遺症，已被「委選」「直選」的爭執淹沒了。這顆決定政局安定的定時炸彈隨時可能引爆。

政黨政治的品質

郝柏村常譬喩：經濟成長像在雙軌上行駛的火車，可能快，可能慢，甚至可能逆轉；民主政治則是在單軌上的火車，只能向前，不能後退。向前不只是指民主的速度，更指民主的品質。

郝內閣的政務有時呈現兩極化的反應：最受民衆支持的，卻也最受立法院的杯葛。這個現象引發了一個民主社會匪夷所思的問題：民代究竟是否眞正代表民意？

戒嚴解除，民意高漲，大家都淸楚台灣未來取決於民意的方向是不可能改變的。因此執政的國民黨以「國民黨永遠與民衆在一起」爲主題的訴求到處可見。

郝柏村認爲，在台灣的民主化過程中，「只有透過健康、高品質的政黨政治相互制衡，全民對乾淨選舉的要求、輿論嚴格的監督，民主品質才可能會接近西方現代國家的標準。」

政黨政治的精神

國民黨既被民衆選爲執政黨，表示民衆認同國民黨的執政理念與方向；黨的理念也透過行政部門的施政得以完成。這是政黨政治的精神。

「我們常建議院長要做的事，要讓總統充分瞭解，也要讓黨內負責人瞭解，然後有了共識；再運用黨的組織，在立法院發揮功能，和反對黨去周旋，這才算是正常的政黨政治，」一位幕僚人員分析。

郝柏村深深瞭解，只有運用黨的力量，團結黨籍立委支持政務，行政院的政策才可能貫徹。因此閣揆任內，他經常與黨祕書長宋楚瑜溝通，一談就是二、三個小時。

「十一月九日，我同宋楚瑜談了三個鐘頭。談話中我提到『如何促成黨的團結，主席和祕書長要負責』，我說：『黨魂何在？組織沒有落實，沒有政策研究；黨紀更是要嚴明不可，』郝柏村談起八十年底選舉前，他對執政黨的憂慮；這些憂慮在後來幾乎一一呈現。在郝柏村的眼中，沒有「以黨領政」或「以政領黨」的特別想法，他認爲「只有黨政合作」才能確切推動政務。

他的理想也許只適用於完全上軌道的現代化民主國家。在中華民國，仍屬轉型與調適階段，真正的政黨政治之路還很遙遠。

立法院內的爭議與打鬥不止、議事癱瘓，法案塞車；總質詢拖延過久，浪費高層行政人員辦公務事的寶貴時間；在野黨有時爲反對而反對，執政黨的一些立委則爲個人利益罔顧黨與國家的利益。

這些亂象看在黑白分明的郝柏村眼裏，相當不能容忍。

黨政高層會議成型

不能容忍就要解決問題，民國七十九年十二月，郝柏村就建議組成一個由行政院、黨部和立法院負責人參與的「黨政高層首長會議」，「使行政院的政策能透過黨部協調，讓黨籍立委充分瞭解，建立共識，」郝柏村認爲這才是正常的政黨政治，「也讓黨籍立委對政策有不同意見可以事前反應，而不是和反對黨一樣在立院杯葛。」

郝柏村對民進黨在立法院的攻擊認爲「是正常現象」，但對黨內同志也像民進黨員一樣，大不以爲然。

從十二月三日起開始運作的會議，參加人員包括立法院長梁肅戎，國民黨立委黨部書記長饒穎奇、國民黨祕書長宋楚瑜、政策會主委林棟、行政院長郝柏村和祕書長王昭明。每週一上午聚會，被外界掛上「黨政六巨頭會議」的帽子。

這個會議討論過不少重要議題，例如「修改刑法一百條」、「選罷法」、「兩黨協商」、「總質詢次數」等。

鬥爭心態與擺平主義

民國八十一年初，新聞界在資深民代退休後，以「宋楚瑜將主導六巨頭會議」爲題，指出六巨頭中，梁肅戎和林棟退職，二個職位已由「宋楚瑜刻意栽培的國會領袖劉松藩及與層峯關係密切的國民黨副祕書長謝深山」取代。六巨頭中他掌握了四個位子，將由「以政領黨」改爲「以黨領政」。

對這種「鬥爭心態」，郝柏村看在眼裏只有搖頭，然而另一種「擺平心態」卻使他對執政黨務更爲痛心。

一位瞭解內情的人說，郝柏村執政後期，對黨有許多意見和建言，經常請宋楚瑜在院長辦公室長談，「似乎談完就算了，也不見改」。或許宋祕書長有難言之苦，或許他決定的權也有限。不過結果是「擺平主義」。

在黨內重要會議中，李主席曾對黨內選舉提名安排，引起反彈所做的指示是：「要錢給錢、要位子給位子」。這使得在場的人聽了難以相信。

錢與權握在黨中央手中，「黨內是沒有民主的」李主席曾當面告訴過郝柏村。

林榮三輕騎過關

監察院選副院長是一個例子。

林榮三要競選監察院副院長，由於他企業龐大、又擁有媒體，予人「金牛」形象，黨中央似乎也有顧忌。

八十一年二月十九日，週三，下著雨。中常會後，宋楚瑜把郝柏村、林洋港和蔣彥士請到他辦公室，商談監察院選副院長的事。宋楚瑜對三位重量級人士說：明天要選副院長，要讓他們自行選舉，擋不住了。他的結論是：聽其自然。

聽其自然的結果，當然林榮三當選。

以監察院改選副院長這樣的黨內大事，執政黨事前沒有規畫？沒有考慮？最後一刻知會他們「擋不住了」，要他們背書，這是花招，郝柏村認爲「無格到了極點」。

郝柏村說：「站在執政黨的立場，一個副院長，黨不應該不提名，沒有理由不提名。你要提名，黨裏面要經過提名的程序，怎麼可以弄到最後這種情況？」

「這就是他內心裏贊成林榮三做監察院副院長，表面又怕提名金牛，他不願意負這個責任。」郝柏村非常反感這種「愚弄我們、推諉責任」的作法。

至於這樣的安排，由誰決定？出自何人的主意？內情如何？大概只有當事人心知肚明。後來輿論界的批評，也就不足爲奇。

黨是土紳富豪集團？

在資深老委員退職後，立法院黨團組織和人事擴充，也是擺平主義的另一個實例。每個委員會有三位召集人，「黨官一大堆，但效率更差」，負責人的素質每下愈況，與先進國家國會領導人相去太遠。

「黨的組織、黨魂、黨德是郝院長常常憂心的地方」一位行政院高級官員指出。國民黨與地方派系、金牛集團掛勾的結果，行政政務就自然會受到影響，「因爲利益團體的關說，會干預到公正廉明政務的推動，」郝柏村一針見血指出金權政治背後的陰影。

郝柏村任內是歷年來行政院與立法院關係最緊張的一個時期，他絕不允許關說是其中因素之一。過去行政官員對民意代表的予取予求只有忍氣吞聲、敢怒不敢言。他上台後不僅自己没有收過一封關說信，甚至告訴行政官員做「關說紀錄」以維持廉明。他的反特權和反金權强悍作風，當然引起一些立委們不滿。但是郝柏村深信：國民黨不擺脫金權和派系的掛勾，國家就無法有健全的政黨政治。

不認同中國，不要做國民黨員

在他任內，中常會也破紀錄的處理兩件立委黨紀處分案：陳哲男「一中一台」案和吳耀寬等四人「降低證交稅」案。陳哲男在立法院質詢中主張「一中一台」，抨擊堅持「一個中國」政策的人是爲討好中共出賣台灣的急統派；他並在高雄演講中攻擊郝柏村、李煥、沈昌煥和許歷農四位中常委是「賣台集團」。

黨部處理陳哲男一中一台案，猶疑不決；郝柏村說：「這是國民黨的意識模糊了。」黨內又交付政治小組討論「一中一台」的涵義，郝柏村更大不以爲然。他在會中發言：「對於一個中華民國、一個中國問題，還應該懷疑，還應該做學術研究嗎？」、「別人不承認我們，不可怕；自己不承認自己才可悲。」說完他就離席。

面對黨籍立委主張「一中一台」，郝院長絕不假以辭色，他甚至答詢時嚴厲地說：「不認同一個中國，就不要做中國國民黨黨員！」他的真正意思是指：國民黨並未以理念結合黨員，否則不會出現這種贊成台獨思想的黨員。

在他看來實行健全政黨政治的障礙有三個：一是國民黨與地方派系掛勾；一是國民黨與金錢掛勾；另一就是民進黨的台獨意識。

現在，如果國民黨也有「台獨」意識，問題就更加嚴重了。

左手握金權，右手控選舉

「我反對金權介入政治，從我去行政院到離開行政院，始終一貫的反金權；最後不得不離開行政院，反金權也是主因之一。」郝柏村即使離開了行政院，對金權介入選舉和政治，始終認爲是執政黨在飲酖止渴。

早在資深民代準備退職的民國八十年，立法院長梁肅戎就提醒郝柏村「注意賄選問題」。增額民代選舉熾熱的八十年、八十一年，郝柏村曾多次和宋楚瑜長談：「黨要和金權、台獨畫清界線；黨內不能因派系妥協而取消初選，黨內初選是抑制派系的重要方法，黨絕不能容忍賄選；黃復興黨部都是忠黨愛國的，不要怕也不應該怕他們。」

鑒於從政這些年對立法院的瞭解，郝柏村對挑選黨內立委候選人非常關心，除了屢屢與宋楚瑜溝通外，還找徐立德和王述親討論，他期勉二位黨的選舉負責人：「黨的成敗，是歷史關鍵，要大公無私，堅持廉能政府。」

他的期望是，有理想抱負的黨籍立委，才可能與行政部門互勉互勵，替老百姓服務。

金網難破、派系更深

但是這些提醒刺破不了執政黨和金權、地方派系深織的網；威權瓦解，國民黨對地方和財團派系的倚賴更深。從八十年底的國大代表選舉，到八十一年底的立法委員選舉，「選舉花錢不一定當選，但不花錢一定不當選」的名言早就成了競選鐵律。

兩位蔣總統時代，財團和派閥藏在幕後，早有所聞；近兩年的增額選舉，這些金主和土紳親披戰甲，加入選戰。「花錢花得公開而囂張」，一位地方記者描述。

「金錢、金幣、金塊在黨的選舉中統統出籠，」、「國民黨黨內提名最大贏家不是當權派，也不是非當權派，而是『新台幣連線』！」即使在八十二年八月國民黨自家的十四全會選舉中，金權大戰更是聲勢浩蕩，成爲舉世奇談。

八十一年的立委選戰，與其說是一個考驗國民黨執政的戰爭，毋寧說是一場是與非、金與權的爭奪。

這一年中期，國民黨開始提名作業，先有中常會通過十八個選區不辦初選的提案；這表示立委的提名，中央掌控權加大了。

不辦初選問題郝柏村是不同意的，七月二十九日中常會的討論，他認爲「本來不辦初選是例外，結果變成辦了才是例外，把原則倒過來了。」

他在會中指出：「黨提名的目的，是貫徹黨的政策，而不是黨替派系做背書；黨要有初選，必須是乾乾淨淨的，如果初選要買票的話，黨就沒有格，等於不存在。」

接著由地方和中央推出的提名名單，再經「中央提名審查小組」會議先做評選。

多位參與過會議的黨政官員感慨很深，他們最常聽到各地方主委對提名候選人的評語是：某某人財力不錯、某某人有某派支持、某某人擁護李主席……。

「把財與勢，列爲優先考慮，不重視甚至無視品格和能力，這樣提名出來的人會是什麼樣子？」一位政務高級官員憤怒地指出。

有錢不是罪惡

然而爲黨中央主導的選舉中，一方面除掉「嚴厲批評黨決策者」的候選人；另一面「贏得選戰，才能執政」、「有錢不是罪惡」的說辭則在蔓延。

八十一年八月二日，郝院長和一位學者討論民主品質問題，他已預料到年底選舉「另一波金權勢力與賄選買票的劣質化民主會出現」。

他說，執政黨平時就要下功夫，培養没有財力，但有能力、有品德與抱負的人，而不是「臨陣擦槍、匆忙應戰」的候選人，「甚至變相主導賄選」。

過去一些黨提名當選的立法委員，選舉時靠黨的力量，當選後就成了個人力量。「不提升民主品質，就會失去民主」，他對執政黨「贏的策略」頗有意見：「選舉是要贏，但不是不計代價的贏；贏了選舉，輸了民心，有什麼用？」

七人小組最後裁決

由李元簇、郝柏村、林洋港、蔣彥士、吳伯雄、宋楚瑜和連戰組成的「七人小組」，是最後裁決的力量。

黨部「七人小組」審核會上，郝柏村再度强調自己的提名原則：「提名人第一要與台獨畫清界線，第二要和金權保持距離，第三要有政治抱負，不爲個人私利。」

審議過程中，對金牛的過關，自然成爲極具爭議的題目。嘉義縣的「涼椅大王」曾振農是其中代表。

媒體早已刊載，曾振農是「省議會的地下議長」，他自喻在議會「養了十五條狗」；然而七人小組的成員顯然並不十分清楚，只記得他是請了千桌客的主人。

當李元簇提到：誰是曾振農？是不是上次那個一請客就上千桌的？當郝柏村說：選風不能壞，動不動就請客送禮不太好時；省黨部主委林豐正立刻解釋：他請客不是爲自己選舉，而是替國代弟媳答謝親友。

也有市黨部要員提出：「有錢並不是什麼罪過。」把這場爭議在諸委員默認中帶過。

然而在地方主委們「錢不是偷來的、搶來的」，又有人擔心給外界「反商情結」印象反而不好的情況下，也安然過關。

澎湖的選戰

澎湖縣陳癸淼案子，地方主委曾分析，林炳坤加入選戰會使陳癸淼十分危急；郝柏村對軍人占的比率不小的澎湖縣比較清楚，他認爲陳癸淼在任上表現不錯，又是現任立委，不應再提另外的人來打壓他；而另一位候選人林炳坤又是金牛，聽說從三月分開始就到澎湖布局賄賂，形象非常不好。

這件事因爲案子牽涉到一些重要人士的因素，就難以決定了。

到底爲什麼澎湖縣提名黨中央堅持林炳坤、陳癸淼開放競選？直到後來李登輝主席在陽明山革命實踐研究院內部會中承認「被騙了」，才算有了答案。

「我認爲今天的黨不是貫徹黨的政策，而是做了派系和金權的護身符。黨的形象已經被他們這些人篡奪、騙取。」郝柏村對這種選舉黨內提名痛心失望，罕見的指責：「這在中國國民黨是件可悲的事。」

王昭明要辭職

八十一年九月十六日，中常會通過二居立委提名後，當天，祕書長王昭明就向郝院長提出辭呈，「他提辭呈不是不滿意我，而是對黨的若干作爲不滿。他並且說辭職以後要遠離政治。」

郝院長把他慰留下來，也感慨萬千：「王祕書長是一個正派的人，他對黨太失望，所以祕書長他不做了，要退出政治組織。黨到今天這樣一個程度，是多麼令人傷心的事。好多人都要退黨。」

執政黨提名名單呈現出的金權生態，加上選戰中候選人動輒上億的競選費用，「國民黨和金權畫上了等號」，很多學者憂心忡忡。學者薄慶玖估計過，八十一年底的立委選舉總花費極有可能七、八百億。

早在年初，「股票換鈔票換選票」的風聲就在股市中傳出，財政部長王建煊對蠢蠢欲動的股市特別關注。

六月二十九日聯合報報導，「部分和立委選舉有關的上市公司，其大股東今年股票賣得很兇，股價波動比其他公司大」。

通常這些上市公司的作法是，先把股票拉高，再大量脫手，股票換得巨額鈔票。

這些鈔票如果轉成選票，賄選如何抑止？

「賄選不只是法律的問題，更是黨紀問題，」郝柏村請教過法律專家，如何防止賄選，得到的答案並不樂觀。

賄選的花招層出不窮，有些竟演變成「賭局」，包括股市、六合彩可以賭；第四台和互助會，都可以買票。

一位瞭解內情的人解釋，「如果你賭某人當選，你押了一千元，當選後你便得一萬元，是不是你會想盡辦法幫他當選？而且選票愈多，你贏的機會愈多？」

儘管抓賄選在執法技術上困難很多，郝柏村仍決定提供五百萬元爲抓賄獎金；另一方面，教育部也從學校著手，做「反賄選」教育。

在此同時，一般社團也感覺到賄選問題的嚴重。紛紛把反賄選當成這一年最重要的公益活動。

李總統、郝院長簽下承諾書

由道德重整協會及宗教界等二十三個社團發起的「乾淨選舉救台灣」運動，如火如荼地展開。李登輝總統和郝柏村院長也簽下承諾書。

深知「股票和土地換鈔票換選票」內情的王建煊，下台之後毅然在短短一個月內臨陣加入選戰，也有心一試這個社會，公平正義和金權孰是孰非？

二屆立委選舉結果在十二月十九日晚上揭曉，國民黨重挫，僅獲五三・〇二%選票，民進黨得三一・〇三%。

反金權的王建煊以北市北區第一高票當選，也是全國得票率最高的立委；另一反金權的趙少康則以全國第一高票在北縣當選。

「這足以反映民衆對金權政治的厭惡，」郝柏村痛心地指出，然而執政黨並未虛心檢討，「簡漢生說，爲什麼選舉失敗？是股市從一萬二千點跌到三千多點；也有人說經濟不景氣……」。「根本就是顚倒因果，不講是非的說法。」郝柏村指出。

不負責任的黨檢討

更有人將責任推到許歷農負責的黃復興黨部身上，郝柏村對此相當不滿，他說：「黃復興黨部榮民鐵票，始終是國民黨的救援部隊，」凡是黃復興黨部支持的人，全數當選；「他們並沒有把票去支持王建煊和趙少康，」他認爲黨中央不自我檢討，「還要推卸責任，諉過予人。」

郝柏村說，經國先生生前對許歷農極爲賞識器重，認爲他是一個無私無我的人，一度曾考慮許歷農去當安全局局長。後來更賦予「照顧榮民」的重任，負責輔導會，要他協助這批終身「忠黨愛國」的人。許主委確實不負所託，全心投入，以情感團結、安定了榮民。「黨中央把選舉失敗責任諉過於黃復興黨部不聽話，完全與事實不符！」郝柏村憤憤提出抗議。

「執政黨的選舉，從提名到政綱政策，不是以是非、良知、正義和公道爲基礎，」是郝柏村對黨最失望之處。

選舉失敗只是表現國民黨體質衰敗的一面鏡子。

79年第六屆里長選舉時投下神聖的一票，深盼乾淨的選舉從基層開始。

參加立法院總質詢時，所有閣員對於立法院的亂象皆面色凝重。

郝院長深覺黨政一體的重要，與梁肅戎及宋楚瑜共商黨政大事。

在立院戰場上與郝院長扞格不合的民進黨前黨主席許信良，双方見面時仍維持君子風度。

第七章

統一是條漫長路

日記摘述

「獨台會的案子我說我自己處理，事實上安全局報告來，李總統也知道；可是我始終沒有說他們辦這些人，李總統也知道。我不願意……我為這件事情，也盡到我本分。」

「八十一年三月二十九日我參加救國團的青年活動，同青年講話強調，『國家認同沒有模稜兩可的語氣，青年在大是大非上不可迷失。』」

「禮拜三下午，中央黨部政治小組又討論一中一台涵義的問題。我發言完以後我就走了。我說：對於一個中華民國、一個中國的問題，還應該懷疑、還應該作學術研究嗎？別人不承認我們，不可怕；自己不承認自己才可悲。」

「不能不顧一切。如果為了加入聯合國而放棄一個中國前提，或形成大陸與台灣永遠分離的事實，則是未見其利先受其害，不切實際，也對我們不利。」

務實外交要切實

差點當上外交官的郝柏村很少向人提到這則故事。

民國三十年，他任連長後，自覺世人總以老粗眼光看待軍人，因此亟思棄武從文。他在桂林報考當時的中央政治學校（政大前身），考取了外交系。

他向長官報告自己的意向，當時太平洋戰爭爆發，遠征軍部隊要出發去印度，這位長官就對他說，「我們作遠征軍多好，你上文學校幹什麼？」就沒讓他上中央政校。這位沒有當成外交官的軍官，沒想到後來當了外交官的長官。

李總統主導外交

雖然外交部隸屬行政院，但由於體制的模糊，李總統對外交、軍事與大陸政策特別要自己主導。因此郝柏村就儘量遵從總統的意思。

外交上人事的任命，例如蔣孝武返台後由許水德接駐日代表，完全由李總統獨自決定。甚至民國八十年六月，總統府派外交部程建人去安排中美洲高層會議，目的則是爲李總統可以「順道」訪問日本和美國。郝柏村事前並不知情，至於外交部是否有人知道此事，他表示「並不清楚」。

他與前駐日代表蔣孝武關係深厚，蔣孝武對他「無話不談」。蔣孝武深知駐日期間，李總統有些事不告知他，逕自透過副代表鍾振宏安排，他也覺得沒有必要再留在日本。據說蔣孝武堅持要在七月一日以前返國，也與安排李總統赴日訪問有關。

在外交上，郝柏村不積極參與，但有主觀意見。

「金錢外交」要不得

他認爲務實外交還是要以對大陸和台灣不產生負面作用爲要件。對於一些人批評政府拿大筆錢去買一個小國家的外交，結果激怒中共，使我們斷了大國外交，身爲行政院長，他不便公開討論這種批評，內心裏卻對這種「金錢外交」不以爲然。

他在外交部舉行的駐東協各國代表及南太平洋各館處聯合會報中指出：「在『一個中國』的原則下講務實外交，是要實際上得到關係，不只是講面子。」

對於一些民間人士呼籲重返聯合國，李總統也要求外交部積極籌畫，郝柏村認爲，「要重返聯合國是大家的願望，但政府做事一定要誠實面對老百姓，不能哄騙。」

面對立法委員黃主文質詢，他率直指出：「不能不顧一切。如果爲了加入聯合國而放棄一個中國前提，或形成大陸與台灣永遠分離的事實，則是未見其利，先受其害，不切實際，也對我們不利。」

經濟大餅的吸引力

他一貫認爲，務實外交的實力恐怕還在經濟。六年國建計畫推出後，國際間重要大國爭相來訪就是例證。外交部統計，八十一年，來我國訪問的無邦交國次長級以上的有四十八國，共一百一十二人，是破紀錄的一年。

法國積極介入高鐵和捷運系統競標後，使得法國政府同意出售拉法葉級戰艦和幻象飛機給我國，以及華航與法航交換航權立即成真。「不可諱言，這都是六年國建帶來的實質結果。」郝院長指出。

德國經濟部長已訪華，美國的高層經濟官員與我國互訪頻繁，更證實：沒有經濟這個大餅，這些超級大國是不會把台灣放在眼裏的。

甚至獨立國協、俄羅斯共和國，也爭取加入工程行列。他們透過外交部次長章孝嚴訪俄，表達意向。

因此郝院長任內積極參與關稅暨貿易總協定（ＧＡＴＴ），已成爲觀察員；同時從八十年起「中華台北」也變成了亞太經合會（ＡＰＥＣ）十五個會員中的一員，經濟部長蕭萬長代表我國二次出席大會。

「爲爭面子，和一些小國家建交，錢浪費了，卻沒有實質意義，」郝柏村的看法或許與層峯不同，他主張多參加專業性的、周邊性的國際組織，來取代政治性強，既易引起爭議又不易入會的機構。

處理韓國斷交

在這期間，和小國建交，確實也刺激了中共。韓國與我們斷交就是一個例子。

這是民國八十一年八月下旬的事，郝柏村召集外交部、交通部討論處理原則。他主張採高姿態主動宣布斷交，不惜斷航、取消優惠待遇，「因爲中韓關係不同，我國曾協助韓國復國，他們有求於我國的多，我們有求於他們的少。」

但他反對處理館產，他說：「我們不能只圖一時值很多錢，成爲中華民族史上的敗家子。」他對這座自清朝以來就保有的使館，認爲終會有收回的一天。

他在會議結論中也談到，新關係的建立，「代表我方機構應堅持用中華民國國號。」然而事過一年後簽署的中韓協定，早已面目全非，我們完全失去機會，不再是高姿態。

國際貴賓來訪

在郝柏村任內，除了現任來訪國際官員層級提高，各國退任元首也透過民間邀請來訪，法國前總統季斯卡、英國前首相柴契爾夫人都是貴賓。

郝院長對柴契爾夫人治理英國十一年，能堅持一貫理想，極爲佩服，曾和她晤談七十分鐘。他們談到施政理念，「非常接近，」郝柏村說。柴契爾夫人力主國營事業民營化、政府減少干預，郝院長相當贊同。

另外，對於國防主張「保持防禦力量是維持和平的最好方法」，一位是軍事專家，一位是鐵娘子，都有「指揮」打仗的經驗，想法頗爲吻合。

郝柏村佩服英國的法治精神，柴契爾夫人稱讚郝院長致力整頓治安的魄力，她說：「您提到安居樂業的目標，道理簡單，卻是民衆最需要的；如果人民生活在恐懼中，無法安心工作，社會不但不能進步，甚至會崩潰。」

兩人同樣關心香港的民主和一九九七年實施「一國兩制」的情況。

郝柏村提及：「香港的『一國兩制』是經濟的、還是政治的？因爲經濟目前漸漸趨於『一制』了。」

柴契爾夫人當時認爲新任港督彭定康，對香港的民主會有較不同的作爲。

的確，在務實外交上，民國八十一年是一個交出漂亮成績單的一年。

——和我國建交的國家已達三十個，比最低時期的二十三個增加了近三分之一。

——章孝嚴次長訪問獨立國協。

——重返ＧＡＴＴ，爲觀察員。

——美國同意售我Ｆ十六戰機，法國同意軍售幻象二〇〇〇飛機。

不可否認，三千億美元的六年國建計畫與加入ＡＰＥＣ、加入ＧＡＴＴ爲觀察員都有極大關係。

務實外交的「實」，在郝柏村眼中，靠的是實力，不僅是實際，還要誠實。

「一個中國」的眞義與爭議

政治可能有光譜，泛政治化後就只剩下黑白；台灣的統獨之爭，愈來愈陷於後者。振臂高呼「中華民國萬歲！消滅台獨！」八十二年元月三十日，當郝柏村在國民大會閉幕式上出現這一幕時，可以說是他「反台獨」的意志到達沸點。

其實郝柏村的「反對台獨」，不是痛恨那一羣人，或是排斥那一個組織。他的反對台獨，是放在另一個層次來檢視中國人的問題，檢視兩岸之間的關係。

四十多年來，從中國大陸抗日戰爭，到避離大陸遷居防守台灣，深諳兩岸從軍事敵對、到兩岸交流、再到和平統一，「『一個中國』的原則，才是維護台海平靜的重要基礎，」他沉痛地說。

台灣與大陸相比，面積是一比三百，人口是一比六十，「在對比上，中共政權一直到今天還不承認我們是一個政治實體，就是基於這種心態。」

不同於兩德、兩韓

他對一些人把兩岸統一的問題和德國、韓國相比，不表同意。他說，第一，中國是因內戰而分裂，兩德、兩韓是國際因素造成他們分離；第二，台灣與大陸比例過於懸殊，和兩德、兩韓截然不同。

「『一個中國』在台灣、大陸，甚至美國人心目中都有不同的解釋，」瞭解三地政治局勢，又主持政務的郝柏村說。

大陸指的「一個中國」當然是指「中華人民共和國」；台灣指的是「中華民國」；西方國家所講的「一個中國」是指「一個分裂的中國，將來如何處置，那是你們兩岸自己的事情，不干預」。

或許是參與過兩岸軍事對抗，或許是太瞭解兩岸在國防上的差距，或許更深知國際力量對兩岸軍事的影響。郝柏村常說，對中國大陸政權，「我們可以想把他甩掉，可是他有這個力量讓你甩不掉。」

台灣與大陸的關係，「不管大家歧見有多深，只要沒有軍事的衝突，我們可以從事政治的、經濟的、社會文化的各種競爭，」深信只有認同「一個中國」的原則才能維持「和平競爭」，是這位軍事家的看法。

反台獨、愛台灣

打破「和平競爭」規律的致命武器就是「台灣獨立」。

「反台獨才是真正愛台灣，」這是郝柏村極真誠的體認。三十五年前，他曾在小金門「八二三」砲戰中，出生入死，堅守台灣；三十五年後，他頂著「反台獨」的盔甲，被反對人士轟擊，也在堅守台灣。只是時空改變，對手易轉。

在執政二年九個月中，他堅持「一個中國」的理念始終如一，而且貫徹到政務上。民國八十一年一月中，立法院二讀通過「就業服務法」第六十七條，增列大陸地區人民準用該法「外國人」的規定，也就是把「大陸人民」視爲「外國人」。

郝柏村認爲這會引起「二個中國」或「一中一台」的誤會，因此在黨政高層首長會議中提出討論；後來決定行政院將全案撤回。這個撤回案雖引起民進黨立委提出「行政部門不尊重國會」的反彈，但顯示郝揆相當注意「一個中國」的細節問題。

總統府副祕書長邱進益曾以個人名義，呼籲兩岸簽訂「互不侵犯條約」。郝柏村認爲要求中共不以武力解決台灣問題，是台灣人民共同的願望，但是，「『互不侵犯條約』是國與國之間的條約」，在兩岸關係上，他更傾向於用「停戰協定」，因爲這是內戰，也更務實。

在行政院長期間，企業界因工人缺乏，急需外國進口勞力，當勞委會把引進「外籍勞工」辦法呈報院內時，郝柏村把「外籍勞工」改爲「外來勞工」，替大陸勞工留下伏筆。

民國八十年十月，民進黨準備將「台灣獨立」正式列入黨綱中，郝柏村相當堅持要「依法處理」，不惜解散民進黨，因爲「台灣獨立」在他心目中，是會「陷台灣二千萬人民福祉於萬劫不復境地」的大災難。

八十一年十月十三日，立法院總質詢，民進黨說：「一個中國，無路可走；一台一中，海闊天空」。郝院長立即反駁：「一個中國，惟一可走；一台一中，四大皆空」。他指的四大皆空是：「政治民主、經濟繁榮、社會和諧和文化傳統都落空。」

總質詢結束後，他對民進黨的感想是：「不會放棄台獨主張；他們以台灣地位未定論、主權過時論、主權自主論，來否定中華民國的法統。」

軍事穩定才是基石

經歷過抗日、剿匪和反共的殊死戰爭，郝柏村對兩岸關係和中國未來有較務實的看法。他分析，「台灣中國人的命運，自古以來，都是由於中國大陸情勢變化而產生的，」從明末清初，鄭成功和閩南人士到台灣，到甲午戰爭戰敗將台灣割讓給日本，民國三十四年抗日戰爭勝利光復台灣，到民國三十八年政府遷台，「沒有一件不是受大陸的變動影響。」

正因如此，大陸有足夠的力量影響台灣。不論在國統會、對青年學生演講，他都明確指出，惟有保持台灣海峽的軍事安定，才能維持台灣的安全，有了安全，台灣經濟才可能發展繁榮。

他說，過去我們爲了「一個中國」，不惜退出聯合國；現在，中共以它的人多勢大，從來不承認我們是「政治實體」，也未放棄以武力解決台灣問題，「這是一個政治現實問題，而不是意識形態問題，」他清楚地點出問題癥結。

當海基會赴大陸，與海協會談到「一個中國」的涵義問題發生困惑而返時，他曾建議陸委會主委黃昆輝，凡是兩岸文書中提到「一個中國」的地方，我們都改用「和平統一的前提下」文字代替；但顯然不爲層峯接受。後來國統會特別將這個列爲一次議題。

現在分裂，將來統一

當康寧祥在李總統主持的國統會上，發表他對「一個中國」的看法後，國統會副主委郝柏村也立刻表達了他不同意康委員的看法。他說：「一個中國的涵義，現在是一個分裂的中國，將來是一個自由均富統一的中國。」

他說，堅持「一個中國」的原則，它的涵義是主觀的，這個對台灣海峽的平靜、中華民國的安全、台灣二千萬同胞的福祉繁榮，確是非常重要的因素，「我們不能讓中國大陸或是海外懷疑我們，或是誤解我們，說我們放棄『一個中國』的原則，或主張『兩個中國』或走上『一中一台』。」

他强調我們要反共而不懼共；務實而不主觀；要有彈性；要能主導。

郝柏村指的彈性，是在兩岸事務中每一件事都錯綜複雜，「不是我們一廂情願的訂出時間或步驟來，就能逐步實現。」

在他的「一個中國」概念中，基本上要維護台灣的安全，維護二千萬同胞的福祉。因此「無論在任何文件上，我們不能讓別人、讓對岸、讓海外，對我們『一個中國』的政策有所懷疑，」他清楚有力的點出。

「反對台獨」和「一個中國」之間的關係是牢不可分的；「一個中國」與「和平競爭」又是息息相關；「和平競爭」和「台灣繁榮」則更是一體的兩面。

常以「台灣的生存與發展」爲念的郝柏村，在省籍情結的陰影下，幾乎沒有什麼機會把他「一個中國」的真正理念和「反台獨、愛台灣」連起來，讓民衆知道。

「統」與「獨」在政治光譜上有不同的層級，沒有人贊成「急統」，台灣也不可能「急獨」。「一個中國」的理念實在是穩定台灣、長期發展生存的基石。

與俞大維談過往政事

俞大維先生是郝柏村極爲尊敬的長者，時常向他請益。他與蔣家父子關係深厚，雖不是國民黨員，卻深受老總統器重。

俞大維對郝柏村說：「爲政者要看得遠，就要有胸襟；一著錯，全盤輸。」還談到往日政事：

●抗戰勝利後有二失策：一是陳誠未收編僞滿軍，後爲林彪收編。一是老總統未接受馬歇爾建議，停止內戰，發展經濟。俞大維說：「發展經濟，大陸不會淪陷。」

●鄧小平發展大陸經濟，很了不起。兩岸將來統一，全看經濟發展；現在的共產黨已經不是過去的共產黨了；大陸經濟潛力很大。

●中華聯邦的形態，可能成爲將來一個方向。

兩岸關係、大陸政策

在郝柏村院長任內，他深深瞭解兩岸關係與大陸政策由李登輝總統主導；他對陸委會、海基會不和，牽涉制度與人事，很少發言；他不發言，並不表示沒有意見，只是深知共識未建立，多說也無益。

事實上，郝院長在兩岸關係上的看法頗具前瞻性。兩件事可以印證：「金門協議」和「三保警事件」。

一九九〇年七月，發生閩平漁五五四〇號船悶死二十五位偷渡客；八月中，閩平漁五二〇二號又在基隆外海撞船，失蹤二十一人。

兩岸紅十字會基於人道立場希望洽談協助遣返事宜。時任紅十字會祕書長的陳長文向郝院長報告，考慮去大陸談此事，郝柏村說：「爲什麼不讓他們來金門談？」

第二天郝院長立即向李總統報告，獲得同意。當時動員戡亂時期尚未終止，金門仍是戰地，也極敏感，參與的幾位年輕官員對郝院長的突破性建議非常訝異；但郝院長的想法則是：讓他們來談，也有「對等」的意義。

「金門協議」是兩岸紅十字會透過合作，來「見證」雙方因非法進入兩地的人士，能安全而人道的遣返原地。根據這項協議，台灣至今已遣返一萬人回大陸。

「這是自民國三十八年以來，兩岸最人道、最無爭議、且最有效的協議。」參與其事的陳長文指出。

「三保警事件」發生在一九九一年三月，有三位保七總隊警員在海上緝私中被帶往大陸，且槍擊一名大陸漁民。陳長文再次擔負重任，以紅十字會祕書長身分赴北京。行前郝柏村特別向李總統報告後，對陳長文說：「應該去，你告訴他們，兩岸關係的發展很重要，希望能把三人和裝備一起帶回來。」

「兩岸關係發展很重要」這句關鍵性的話，使得大陸慎重考慮處理三保警案，也使得陳長文圓滿達成任務。

一系列組織設立

民國七十九年三月，李登輝當選第八任中華民國總統後，據說身邊的策士有感於海外和對岸中共對李登輝的「台獨」或「獨台」傾向有所質疑；加上七十六年十一月，經國先生開放大陸探親，非法投資大陸蜂擁而去，許多人擔心台灣產業面臨空洞，經濟亦有可能倚賴大陸過深，於是建議李總統仿效兩德、兩韓，成立一個直屬總統府的國家統一諮詢機構，以掌握未來國家統一方向，界定兩岸關係和擬定大陸政策。

七十九年十月七日，總統府以任務編組方式，設置「國家統一委員會」；八十年一月三十日，行政院依「行政院大陸委員會組織條例」，設立大陸委員會；民國八十年三月九日，屬於民間團體的財團法人「海峽交流基金會」正式成立。

三會的成立可算是一個歷史發展下的產物，因爲四十年來海峽兩岸關係歷經軍事與外交對抗、冷戰喊話，已走到民間交流。

三會本應一體，分別從戰略設計、政策規畫到政策執行，無奈理念、制度與人事的扞格，使得本不複雜的結構被複雜化。

對於兩岸關係，郝柏村不諱言存在兩個結：一是島內的省籍情結；一是對岸中共不願視台灣爲對等關係的情結。

在內部，一方面固然不能只講理想，不顧現實，盲目躁進地追求統一；但也不應只重偏安，放棄理想，消極地坐待統一條件自動到來。

和對岸的互動關係，雖然先後雙方成立了對口單位，制定「兩岸人民關係條例」，希望完成法律化、建制化；但是，中共仍然堅持「一國兩制」，既不承諾放棄對台用武，又持續杯葛台灣在國際組織間的活動。

國統會制定國統綱領，將國家統一分成三個階段：近程、中程、遠程。有進程表，但無時間表。三年來，兩岸關係始終停留在解決事務性交涉上，無法由近程跨入到中程。原因就是中共「沒有善意的回應」，善意的回應，包括「放棄以武力解決台灣問題」和「給台灣國際社會空間」。

兩會不和屢見齟齬

國統會隸屬總統府，地位超然。陸委會和海基會的不和，則因人事和制度屢見齟齬。

海基會是實際執行兩岸事務的機構，理應具有經驗反饋、提供政策建議的功能，無奈陸委會不能用其所長。兩會在人事與組織定位上始終紛擾不斷。

延續紅十字會處理兩岸事務的歷練，陳長文授命組成海基會，且爲第一任副董事長兼祕書長。由於被認爲與郝院長的接近，甫一上任，就遭立法院民進黨立委的猛烈攻擊，從「個人兼職」到「是否會出賣台灣」的質疑一一出現。

民國八十年十一月，行政院陸委會研擬「中介團體監督條例」，以「中介團體監督條例」和「兩會關係運作要點」雙箍夾制，把陸委會與海基會的關係以法確定，其中關於祕書長兼職問題做了「不可兼職」的決定。

陳長文內受直屬陸委會和立法院的雙重壓力；外又有對岸機構斤斤計較、「格局太小」的無奈，確實「施展不開」，萌生辭意。

「一個中國」的認定是其中一例，雖非海基會層次所能決定，卻是兩岸處理事務性協商的一個關卡。

兩次訪問遇到問題

關於「一個中國」的問題，陳長文在前後二次訪問大陸時，都遇到困擾。

八十年四月底，第一次率海基會人員訪問大陸，中共國台辦主任王兆國一改過去「台灣是中國的一部分」口氣，而爲「台灣、大陸都是中國的一部分」，被視爲相當善意的反應；然而後來人民日報的報導，仍將王兆國的話改回「台灣是中國的一部分」。

這一年十一月，再訪北京，簽署兩岸共同打擊犯罪協定時，再度面臨「一個中國」難題。我方對「一個中國」原則沒有問題，但强調「對等互惠」精神時，中共有意見。這明顯的表示他們不願見到「對等地位」。

然而更困擾的是，當陳長文回到台北時，發現陸委會對「一個中國」原則也有意見。當時正逢統獨之爭相當激烈，刑法一百條修改、民進黨欲將「台獨」列入黨綱之際，政治氣氛相當深沈而敏感。朝野對「一個中國」定義出現歧異。

最後「一個中國」的詮釋交由國統會研究與討論。點點滴滴的事實反映出兩岸關係錯綜複雜，因此郝柏村說：「不是我們一廂情願的訂出步驟，就能逐步實現。」

陳長文辭祕書長兼職後，由副祕書長陳榮傑升任。本省籍的陳榮傑出任祕書長，減少了來自立法院反對黨對「賣台」的質疑和壓力，然而陸委會的管制卻並未消除。

「我是躺在擔架上幹事，」陳榮傑比喻海基會的角色受到主管機構層層壓抑。

從屬關係？一體兩面？

有人把當初設立海基會比喻爲「北美事務協調會」模式，當然要受外交部主管；海基會陳長文則說：「正好相反，和美國，我們要爭取是『官方』；和大陸，我們要表示是『民間團體』。」因此海基會才有民間捐款和董事會組織。

「陸委會和海基會是一體的，不是從屬關係；我强調一面要講法治，一面更要有彈性，」郝柏村鄭重的宣告海陸兩會的關係，然而身爲陸委會的直屬主管，郝院長似乎也只能「說到爲止」。

對於這一敏感的從屬關係，許多人觀察，人的因素超過制度的因素。最後，陳榮傑也提出辭呈。對於他的辭職，新聞界分析主要有四個原因：

——陸委會自行頒訂「兩會關係運作要點」，事前並未與海基會主管充分溝通，海基會未受到應有的尊重。

——九月十七日，陳榮傑藉遣返「霞工緝」人員之便，順道在廈門會見大陸海協會祕書長鄒哲開，企圖爲當時停滯的兩會交往打破僵局；陸委會對外表示本案過於匆促，下不爲例。陳榮傑對陸委會的表示和外界批評覺得不公。

——與陸委會對大陸桂林空難事件處理，看法不同。

——對「辜汪會談」的安排，與陸委會意見不合。陳榮傑和辜振甫認爲陸委會強硬的「連環套」方式，將延遲兩岸共同協議同意的會期。

人事問題？組織問題？

在九個月之內，對於兩位祕書長之先後辭職，郝柏村深知問題點在陸委會用法規來限制海基會太多、太嚴。

他在行政院院會討論大陸政策時，也特別提到，「法律面是片面的訂立，政治面才是主導的主體，不要以爲我們通過一個法律，就可以主導大陸政策。」他的意思是法律是死的，而與大陸打交道要有彈性。

這種彈性的另一阻力是在情治單位，因此郝院長也批評：「安全的心防在信心，不要老拿安全的大帽子來妨礙交流。」

他對陸委會始終未說重話。一位熟知內情的人說，郝院長的不滿意，曾幾次向黃昆輝主委表示過，「但是說話還是很中性。」

郝柏村事後在公開演講中則說，正因爲他是外省人，在省籍情結扭曲了兩岸關係的情況下，在台灣內部未達成共識的情況下，「多說話或多做指示，都沒有意義」。

包括八十一年二月，李光耀來訪，主動和郝院長談到楊尚昆訪新加坡，李光耀受楊之託帶有任務訪台一事，也就是「辜汪會談」的肇因。郝院長都保持除非李總統提及，自己不採取主動談此事的態度。

過分小心、過分無心

也許在郝柏村心中，大陸政策要尊重本省籍李總統的全權主導，處理兩岸事務的重要人事要以本省籍爲主。不論他的「過分小心」或「過分無心」，都使得對兩岸事務抱有熱忱的海基會要員抱憾辭職。

這點大概是他没有考慮到的。

辜汪會談的緣起

八十一年二月，李光耀總理來訪，他的一個使命是：中共國家主席楊尚昆訪新加坡時，向他提到兩岸會談的可能性。

李光耀個人認爲「只談經濟合作、不談統一問題」，對兩岸雙方都有利，於是願意來台，向他交情深厚的李登輝和郝柏村傳達這個信息。

這就是八十二年八月在新加坡舉行的「辜汪會談」的緣起。

八十一年年中，大陸政策高層會議中，正式討論了這個兩岸第一次的談判，會議原則決定：

㈠派出最高領導人授權主導的民間人士爲談判代表。

㈡兩邊的代表身分相當，可避免黨對黨或政府對政府的僵局。

海基會董事長辜振甫，和海協會會長汪道涵，就是海峽兩岸的全權代表。

郝柏村任院長時，李光耀來訪，正式談判時，郝已卸職；他當時對「辜汪會談」的構想是，政府內部應先建立共識：

——反共而不懼共；

——接觸重實質而不重形式；

——先由民間代表開路，達成「停戰協定」，再商談經濟合作協定。

台獨大躍進

在中華民國史上，沒有一位行政院長像郝柏村這樣面對强大「國家認同」的壓力。台灣獨立，似乎「每經過一次言論的突破，就像打了一次預防針」；台灣獨立，從言論到組織，到列入民進黨黨綱的步伐，卻也都在郝揆二年九個月執政期間跨進。

郝柏村「反台獨」、「護中華民國」的形象，始終是反對黨旗幟鮮明的靶子。當主張台獨的「新國家聯線」在立院占下八席時，很多人早就料到，立法院終將成爲一個大辯論場。

相較於前二任院長，立法院過去提出質詢的多爲老委員「憂心國土分裂」的問題；郝柏村面對的，卻是火辣辣的民進黨員提出：「我主張台灣應拋棄一個中國的包袱和中華民國國號，以台灣共和國名義宣布獨立！」「『我國』是什麼？究竟我國是哪一國？當政者立足台灣卻恐懼台灣、壓迫台灣。」

始終站在第一線

大環境與對手都換了，台獨被列爲「叛亂」的時代已經過去，在立法院郝柏村回應的是一羣充滿辯才、堅持自己台獨觀念的大將。「反台獨」信念强烈的郝柏村，則自有一套邏輯思考，也是答辯無礙。

當善辯的陳水扁問：「你曾說國軍不保護台獨，如果總統主張台獨，台灣人民也主張台獨，國軍難道也不保衛台獨？」

郝柏村回答說：「我不相信中華民國的總統會主張台獨，若是主張台獨，他擔任中華民國總統的法律基礎何在？」

他對「公民投票」的看法，認爲有些政策可以公民投票，但國家認同是不能「公民投票」的，他說：「是不是澎湖也可以公民投票獨立，花蓮也可以公民投票獨立？如果不是，那憑什麼台灣可以公民投票？」他比喻台灣如果無視大陸的存在，就會像鐵達尼號撞冰山一樣，「這條船一定要沈」。

面對邱連輝質詢我們没有條件談統一，他反問：「我們又有何條件可以談獨立呢？公民投票即可獨立嗎？國號改了即可進入聯合國而提升國格嗎？這些都不是現實。」

「現實」其實是他反對台獨的最大原因。郝柏村相當清楚，維持海峽兩岸的穩定，是台灣發展民主和繁榮經濟最重要的條件，這個條件必需要以「一個中國」做爲基石；台灣獨立是要破壞「一個中國」，也會打破海峽兩岸的穩定，招來災難。

言論已經變成行動

除了立法院內的辯論，就是反對勢力民進黨不斷把台獨言論變成行動的試探。

對於台獨問題，一般認爲李登輝扮白臉，郝柏村扮黑臉；李登輝從來不表態、不打壓，郝柏村則被形容成「像見到紅旗的鬥牛」。

七十九年十月七日，民進黨四全大會通過「一〇〇七」決議案。

這個決議文主張「我國主權不及於中華人民共和國及蒙古人民共和國。」它的真正意義是向法律挑戰：主張台獨言論是否違法。

事前即已獲悉的郝柏村主張「依法處理」；李總統未表示意見。宋楚瑜在民進黨大會前銜命去和他們溝通協調，恫嚇「一旦主權案通過，國民黨某些人主張不得不馬上採取行動抓人或解散民進黨」。

不論新聞界對這事報導是否屬實，要抓人的箭頭必定指向郝柏村。

民進黨在通過決議文後第二個月，又決議成立「台灣主權獨立運動委員會」。

對於由言論走向行動的動作，行政院新聞局立即宣示政府立場：「政府絕不容許任何一個人民團體，公然向現有法規挑戰，若有任何組織進行台獨叛亂活動，政府一定依法嚴厲處理。」

台獨海內外大會師

這種箭拔弩張的態勢，表面上因「嚴厲處分」而停頓，然而獨派的整合仍在繼續。早已成立的各種團體，在這年底在台中大會師；主張台獨的人士不斷在台灣內部與海外整合。

民國八十年八月，長期在海外活動的「台獨聯盟」決定年底將總部遷回台灣；「台灣主權委員會」擬定一九九一年的運動計畫，展開全省大規模「國家認同運動」；台灣建國基金會在台中成立，將陸續推出「台灣建國時間表」。

國民黨中央政策會也針對民進黨的「主獨會」做了分析，向中常會提出報告。他們指出該會的目的是：一、整合黨內派系；二、串連海內外反對團體；三、要求釋放黃華；四、擴大台獨運動。

另一個案例是「獨台會」事件。

八十年五月九日清晨六點，清華大學歷史系研究生廖偉程被拘捕，校方知悉趕到宿舍時，廖偉程已被調查人員帶走。校長劉兆玄向法務部、教育部提出嚴重抗議。

「獨立台灣會」是史明在日本成立的一個地下組織，安全局和調查局跟監一年，認爲證據成熟，可以依法拘捕。

安全局的報告有兩份，一份呈總統，一份提給行政院長。當時台獨氣焰高漲，刑法一百條尚未廢除，安全局報告主張要辦，郝柏村當時猶疑了一下，但並未徵詢祕書長王昭明的意見，就在報告上批了「依法偵辦」。

郝柏村事後回想這件事時說：「當時應當徵詢一下王祕書長意見，他一定會建議這事緩一下。」

事後王昭明也說，情治人員總是把事情看得比較「嚴重」，把被抓的人「看成極危險人物」，其實校園裏的學生，不會發生「立即的危險」，處理方式大可周延一點。

校園事件引來知識分子、教授的反彈與不滿，發表「全民反政治迫害宣言」；學生們又集結中正紀念堂，並醞釀「五二〇大遊行」。

五月十七日，郝柏村分批接見教授溝通，他表示，瞭解這次學運；他肯定學生、教授有權利表達意見，「希望五二〇遊行能順利單純」。

「獨台會的案子，我說我自己處理，事實上安全局報告來，李總統也知道；可是我始終沒有說他們辦這些人，李總統也知道。我不願意……我爲這件事情，也盡到我的本分。」郝柏村追憶清華校園抓人事件的經過。

「最重要的，民衆要看政府有沒有誠意和決心來改革。我自己檢討，我是有這個誠意和決心。但是不可能幾十年的包袱，我一、二年之內統統把這些解決。」郝柏村對台灣民主與法治的進展有決心，然而民衆的期望卻可能更急切。

經歷過這樣的衝擊，他也在思考：法治觀念和情治單位要有所調整。

任何情況都不接受台獨

李遠哲院士曾和郝院長談及台獨思想的背景，「二二八事件」是其中一個結。

郝柏村處理「二二八」的態度是：「我沒有歷史包袱，也沒有省籍情結，」只求客觀公正的查清這個歷史事件，避免泛政治化。

因此他親自參加「二二八」受難家屬舉辦的追思禮拜，也在行政院成立「二二八事件處理小組」，完成報告，並要求内政部在八十一年底以前完成追蹤當時的失蹤人口。據說清查戶籍，至目前爲止的結果是上千人死亡或失蹤。他希望公布數字可以澄清一些誤解。

郝柏村在瞭解台獨背景上及處理台獨問題的作法上或有改變，但相信台獨會禍及台灣的信念卻是不變的。他甚至在立法院答覆謝長廷時說：「在任何情況下我都不接受台獨，這也是我的良心。」

瞭解台灣政情發展的人士感覺到，解嚴之後，一股反傳統、反權威、甚至反國民黨在台灣四十年獨大的不滿情緒，似乎在郝柏村上台後找到了紓發對象。

郝院長的以法論事强悍作風，在半年內解決了經濟自力救濟，然而另一股政治自力救濟接踵而至，震撼更强、範圍更大。

「政治是郝院長最吃虧的地方，」一位政界人士分析，反對人士在政治上對郝柏村左右開弓。左拳是「省籍情結」，覺得他「台灣成分不夠」；右拳是「他太强了」，因此給他戴上「霸權」的帽子，甚至散布挑撥「他把台籍總統擺在一邊」的謠言。

一〇〇行動聯盟

民國八十年國慶「一〇〇行動聯盟」反閱兵事件，反映出這種情勢。

國慶閱兵日的腳步一天天逼近，在離閱兵場地——總統府五百公尺外的台大醫學院校園，「反閱兵」學生教授靜坐示威並沒有減弱的跡象。

十月八日下午四點半起，聽聞憲兵毆人，「一〇〇行動聯盟」師生開始在台大醫學院基礎大樓前靜坐。憲警人員在門口把關。

一方面，台大校長孫震答應李鎮源院士，包括學生、教授和李教授同意的人士可以靜坐校園；另一方面，警方看到進入校園的已非台大師生，還有和尚和萬華老人會，人數在擴大。一方面教育部官員仍强調軍警進入校園，要徵得校方同意，尚在協調；另一方面十月十日凌晨已過，爲了「閱兵安全」，警方要進入校園、驅散羣衆。

政治事件的情緒性是遠高過經濟、社會事件的。

經過上次「獨台會」情治人員進入大學校園抓人事件後，郝柏村在處理學校事件上趨於謹慎，他對警方揭示：進入校園，一定要通知校方。

致歉離不開個「誠」字

閱兵是關係著全國和總統安全的大事，十月十日凌晨，校閱部隊一定要進占校園場地，台大醫學院就在進駐軍隊的旁邊，「萬一衝出來怎麼辦？」情治單位向郝院長報告事情的緊急性；他也並不清楚孫震校長徹夜以電話聯繫指揮，只獲知「孫校長不在現場，警方必須要進校園，但聯絡不上他本人」。

因此後來在立法院質詢中，郝院長說出對孫校長不滿之言，引起了孫震辭職風波。

立刻告訴郝院長失言的是他的長子郝龍斌，他任教於台大食品營養研究所；與孫校長素有交往的高希均教授則建議郝院長去孫府表示歉意。

識大體的孫校長，對於別人的挑撥不爲所動。十月二十八日傍晚，郝院長偕王祕書長親赴孫府道歉。

當天郝柏村的日記這樣記著：「凡事問心無愧，了無負擔，至孫府致歉，得失互見，但是離不開一個『誠』字。」

自清華校園抓人事件，到警方進入台大校園事件，郝柏村自有一番檢討，他頗有感觸地記下：「與校園相處的技術要改進；不要被別人利用滲透，折殺了學術自由與校園尊嚴。」

民進黨列入台獨黨綱

八十年十月，民進黨爲了年底國代選舉打出「台獨」旗幟，醞釀在黨綱中加入「台獨」一項。

十月十六日，執政黨中常會，討論民進黨台獨黨綱問題，一致主張「嚴辦」；郝柏村更認爲「這是一種禍國殃民的行爲，使得執政黨和政府無路可退；過去對他們的容忍已到仁至義盡的地步，政府應當嚴辦、快辦」。

遇到台獨問題，郝柏村總是表達出嚴厲的態度，他認爲李登輝身爲中華民國總統，應該發表聲明，按「人民團體組織法」中規定，如果主張國土分裂，可以依法認定爲非法組織並解散。

李總統在這件事上則比較謹慎，認爲解散民進黨是很嚴重的事；後來將這個問題交給「政黨審議委員會」來處理。

其間，郝柏村曾見過李遠哲院士兩次，相互溝通台獨的形成背景和看法。他對李院士說：「我們希望有一個理性的反對黨，台獨是行不通的。」

顯然民進黨也感覺事態可能嚴重，「如果要解散政黨，等於宣判死刑。」他們要求與郝柏村面談，但是爲他所拒絕。

郝柏村當時的想法是，不能憑他個人來談這件事、憑他個人來做決定，這應該由黨中央來做決定。加上省籍的考量，他不希望又是一個「大陸人行政院長解散台灣人民進黨」的爭議。

兩黨的僵局最後終須打破，國民黨高層採取了强硬作法，政黨審議委員會決議要求民進黨限期修改黨綱，並將決議文呈報李總統。不可否認的，在他二年九個月組閣期間，郝柏村是倡導台獨人士的頭號敵人，然而台獨分子也在他任內爭得了最大的空間。

國是會議上，他們成爲嘉賓；立法院內他們已是上士。當年因主張台獨而下獄的囚士，如今是與國民黨主席李登輝平起平坐的黨主席、祕書長。

倡導台灣獨立，與反對台灣獨立，到底是愛台灣還是害台灣，目前尚得不到結論；也許，掌握這個答案的關鍵人物不在此處，而在彼岸。

台獨的辯論

在郝柏村任內的立法院，花費最多時間，引發最多辯論，激起最多火花的，就是有關「台獨」的質詢與答辯。其中有幾則予人深刻印象：

●七十九年十月答葉菊蘭委員：「本人身爲中華民國的行政院長，有責任保護中華民國的主權，任何台獨的違法行動，政府一定依法制裁。」

●八十年三月答陳水扁委員：「關於台獨，這個是沒有妥協的餘地，我不敷衍。如果我說可研究，那是敷衍，我絕不敷衍！任何情況，都不能走台獨這條路，政府不能接受，總統也絕不會接受。」

●八十年十一月，答陳哲男立委：「作爲國民黨黨員，必須忠於中華民國，也要與台獨畫清界線，否則就不必做中國國民黨黨員。」

●八十年十一月，答張俊雄立委：「政府反對台獨是堅定的，我不推卸責任，我負一切政治責任。」

立法院機智答辯

在立法院一來一往的熱烈爭辯中，郝院長左右人士認爲：最足以表現他急智的，是與陳水扁立委對答的兩次過程。

八十年三月，陳委員說：「當軍人閣揆統攬政權一呼百諾之際，我們卻看到了彷若『希特勒的黑手』又隱隱揮動。」

郝院長答覆：「希特勒是個獨裁者，我是不是像希特勒這樣，不是陳委員你這樣說到我身上，就爲別人所接受的。談到希特勒，他對德國民主的戕害，最具體的一件事情，莫過他放火燒掉了國會；意圖放火燒這裏的是什麼人？是我嗎？」（指民進黨立委王聰松日前的點火事件）。

十一月陳委員質詢時指出：「我們要把『中華民國號』這條船比喻成爲駛向獨立的『五月花』，不是航向毀滅的『鐵達尼』！」

院長答覆：「『鐵達尼』是因爲撞到冰山，葬身海底。中共政權就是冰山；搞台獨，就是要這條船往冰山衝。」郝院長同時指出：「在李總統船長掌舵之下，不要撞那冰山，而要採取務實的政策繞過冰山。」

在任職居滿一年的記者會上，郝院長提出了「統獨休兵」的主張，指出「獨立是條沒有前途的死胡同」，「統一不是馬上辦得到，但是是歷史的現實，也是惟一要走的路。」可惜統獨休兵的主張，沒有得到響應。他對台中地區一一五位鄉鎮民代表及村里長也說：「急統或急獨都對我們不利。」再度呼籲統獨休兵，不要再做無謂的爭論。

「中國，只有一個」是郝院長堅守不渝的原則。

「一個中國」的國家認同，
是國民黨與民進黨意識形態上最大的衝突點。

81年9月2日會見柴契爾夫人，就世局變化交換意見。

80年5月9日與前美國總統福特會面，相談愉快。

81年3月郝院長赴醫院探視俞大維，向他請益。

第八章

府院關係理不清

「別人說我不配合他，請他公開宣布我有哪一件事不配合？除了蔣仲苓。」

「我向他報告的事情多，他跟我很少談其他事情。我的感覺是只有我向他報告、他質詢，他很少同我談他的想法、他的看法。」

「十月十三日我向他報告，假定總統覺得不以為然，他應該跟我講，因為我們肝膽相照嘛！我不是瞞著他做，當時他也沒有說不可以，既然你沒有說不可以，我也不是瞞著你做的，我認為這件事情……，後來這件事情，鬧出我召開所謂的軍事會議。」

「八十一年十月十日，我用抗戰之前的兩句話：和諧未到絕望時絕不放棄和諧，辭職未到最後關頭時絕不輕言辭職。當時未敢輕率接，就是三年前李登輝要我做行政院長的情形；今後未敢輕率留，今後能不能留下來也不敢說；目前未敢輕言辭，變成一個很矛盾的心態。」

「有很多人從政治鬥爭立場說我太老實了，我感覺到國家政治的事情，做一個政治人物，在這些地方你不是坦坦蕩蕩的……我做行政院長是為了替國家社會服務，不是拿這個來做鬥爭。」

「有一些人建議，所謂妥協是讓我繼續做行政院長，做到十四全為止。我沒有接受，我覺得我是堂堂正正的，要做，何必多做這幾個月呢？」

李郝心結

「經國先生過世以來，決策組織與決策程序無常，」是郝柏村最不滿意的地方，無論憲政體制、府院關係、國民黨內部「都是隨心所欲，由少數人決策」，甚至身為行政院長，郝柏村都覺得「不在真正決策中心之內」。

李郝體制一直沒有圓熟地建立，李郝心結一直沒有互信地解開。

李登輝是第一位台灣人當總統，他雖肩負歷史的使命，卻無黨國的包袱。他要廣結民間勢力，以鞏固實力；他致力改革，世代交替，打破傳統。

郝柏村曾擁有十足的軍權，蔣經國信任他，他也寄望李登輝能承襲這樣的信任，瞭解軍隊已國家化，一切按制度來。流著軍人血液的他，不惜卸去一級上將終身職務以明志；他要勠力建設台灣，成為將來統一中國的基石與希望。

三個衝突點

長期觀察國政、瞭解府院關係的一位權威人士分析，李登輝與郝柏村府院二年九個月的關係，最主要的衝突是三個：

一是人事衝突。

李登輝繼任總統，時任行政院長的俞國華是公認的「好好先生」。俞院長在用人上相當尊重李總統的意見，「九九%的人事是李總統交代的，」據周圍的人觀察，「差點連行政院祕書長總統都有意見。」

李登輝總統不願意更換俞國華院長這件事，可從後來出版有關他的書中看出端倪，時任黨祕書長的李煥、副祕書長宋楚瑜，在十三全會中央委員得票排名上名列第一、第二，而俞國華則排名三十五，被認爲是「倒俞」的前兆。也有人認爲當時李煥要做行政院長的心跡相當明顯。

據說李煥在任閣揆後，深諳李登輝對人事的關心，凡遇這類案子「每事問」，做得「相當辛苦」。

郝柏村一獲提名，新聞界就追問他「閣員任命誰主導？」個性直率的他立即表示由他自己主導。

這個行政院長雖在人事上也向總統請示，「畢竟不是一〇〇%」。郝柏村認爲內政部長、省主席、台北市和高雄市長人選，應尊重李總統對省籍人士的評估和熟悉。

同樣的，軍方人事任命，也成爲埋伏的地雷。李總統是三軍統帥，有任命權，但副署權是行政院長的。

李登輝對郝柏村軍中勢力始終存有戒心，他要突破傳統軍中人事制度，重新建立自己的體系。郝柏村大半輩子服務軍旅，對軍中人才瞭若指掌，認爲李總統如果肝膽相照，應該聽一聽他的分析研判。

當一方堅持任命，一方以行政院長辭職抗議，僵持不下時，猜疑的心結更深。蔣仲苓事件就是一個例子。

總統制與內閣制之爭

另一個衝突是憲政理念的參差。

郝柏村堅持維護中華民國憲法的五權內閣制，李登輝傾向總統直選的總統制。

修憲過程中，旁觀者可以清清楚楚看出其中的較勁。

副總統李元簇主掌修憲會議，儘管已相當清楚李總統修憲而非制憲的理念，然而「大方向常被小細節干擾」，修出來的憲法條文，被批評爲「四不像」。

總統直選、委選問題是看得見的引爆點；看不見的是行政院長副署權、削減監察院和考試院權、擴張總統職權問題。歸根結柢，則是總統制與內閣制之爭。

或許李登輝傾向總統制並不是因爲他是總統，郝柏村堅持內閣制也不是因爲他是行政院長，二人都在「建立制度」；然而加進「台灣獨立」的這項變數後，一切就都走了樣。

獨統難清

統獨衝突則是李郝府院關係最微妙難解之結。

甚至也有人說「一個演白臉，一個扮黑臉，看不清真假面孔」。大家都相當清楚郝柏村「反台獨」，卻很少人真正瞭解李登輝是否「拒統一」。

傳言很多，有些是從海峽對岸傳來的，包括一些自稱與李總統接近的人穿梭傳話，但郝柏村絕不允許任何人去大陸傳話。

碰到台獨問題，幕僚人員給郝柏村的建議是：不要走到第一線。郝院長的軍人性格則是：「這種是與非的問題，一定不能模糊。」

遇到有人懷疑李登輝是否贊成「一個中國」時，李登輝數度公開昭示「中國必將統一」，分散不少壓力、化解外界揣測他是否「說的是、做的非」的縱容態度。

兩個人的心結是，李總統覺得郝院長：還想掌握軍權、對總統不夠尊重、反台獨太強烈；郝院長則覺得李總統：對台獨態度模糊、修憲走向總統制、爲選舉犧牲黨的理想原則。

雙方都有獨自裁決的性格；雙方都有強烈執事的欲望；雙方也都有高度的自信、自尊及自負。

民意調查與記者會

台灣走上民主，民意高漲。民意調查和輿論就像鏡子，不一定反映出真相，卻照出了形象。

專業的民意調查機構成立後，發展出的科學調查較爲社會大衆普遍接受。解嚴後，政府官員接受民意調查的檢驗已成爲另一種制衡，民調結果往往是一個風向球，也是溫度計。

民國七十九年上半年，是一段政局混亂、社會不安的日子。根據民意調查基金會公布的調查，一般民衆對交通、經濟、環境和治安不滿意的人大過滿意的人；其中尤以交通和社會治安爲最；前者有六二・六％不滿意，後者有四九・七％不滿意。

這樣的不滿意也反映到對李登輝總統的滿意度上。他個人聲望從民國七十八年上半年的九〇・二％滿意度，在七十九年同期下降到七八・一％。

李登輝自民國七十七年一月十三日接任總統以來，根據同一項民意調查，一向滿意度都在八〇％以上，而且遠遠超過同期的行政院長；差幅達二十個百分點。

和其他前二位行政院長相比，郝柏村的滿意度則超出十至二十個百分點，成爲七〇・五％。

聲望調查犯大忌

郝柏村一上任，總統與閣揆的滿意度就愈來愈接近；二年九個月以來，二人差幅都差不多是五個百分點左右；郝柏村甚至兩度聲望超過李登輝。

行政院長的聲望超過總統，即使在民主時代，也是大忌。

那是郝柏村接任行政院長四個月後，「美國蓋洛普市場調查公司」首次在台灣做首長聲望調查。除了「親切感」，郝柏村略遜於李登輝外，在「有魄力」、「能做事」、「有遠見」各項上，民衆對郝柏村的滿意度都超過李登輝，尤其是「施政滿意度」，對郝是八七％，對李是八〇％。

三個月後，「民意調查基金會」又做四位首長聲望調查，民衆對郝柏村的滿意程度是八六・五％；李登輝的滿意度是七九・八％。

對於總統聲望落在行政院長之後的調查結果，敏感的新聞界立即追尋「反應」。當時的總統府祕書長蔣彥士回答記者：李總統選擇郝柏村擔任行政院長，知道民衆對郝院長施政滿意，一定會爲自己正確的選擇感到欣慰。

他更進一步表示，從李總統的立場來看，希望五院院長都很能幹，聲望都比總統高；他們施政成功就代表李總統的施政成功。

民衆對閣揆施政滿意度高

從七十九年八月到八十一年六月，聯合報系調查中心陸續做的十次民意調查來看，郝柏村在第一年的表現和李總統相當接近。後來受內閣與單一事件影響較大。其中八十年十月，清華校園事件和孫震校長辭職事件後，郝院長的聲望顯著滑落。民國八十二年二月，內閣總辭案正喧騰時，蓋洛普民意調查公司又做了一次「當前政治情勢民意調查」，顯示六成八的民衆對李總統施政滿意；七成一對行政院長郝柏村的施政滿意。

據瞭解內情的人士透露，在當初民意調查發生郝柏村聲望超過李登輝時，就有府內人士心起不滿，「這也可能造成『李郝心結』」。

被「李郝心結」波及而遭池魚之殃的是華視董事長武士嵩，他在華視總經理任上，與台灣蓋洛普調查公司第一次合作政壇聲望調查，結果郝院長高過李總統，種下了後來被換職的因子。

對於民國七十九年底的這個調查，雖然郝院長也認爲「不太恰當」，但因此而使府裏要「換武士嵩」，他覺得武總經理在華視表現出色，爲了這一件事就要換掉他，頗不以爲然。

「記者會」互相較勁？

「另外一個引起府院誤會的則是記者招待會」，一位接近郝柏村的人士指出，過去蔣經國時代，他本人從來沒有舉行過記者會，孫運璿當行政院長，首開先例。當時總統與行政院長「只有一人召開，沒有問題，而且也符合內閣制。」李登輝接任總統後，他面對現代化的社會，效法美國總統，成立總統府發言人室，也辦記者會。

郝柏村上任後，爲了加强與新聞界的溝通，曾在一年內舉行過四次記者招待會——分別在上任時、半年後、年終和週年。

任軍職期間除了一次接受「遠見」雜誌訪問外，郝柏村從未接受過記者採訪；他上任後，幾乎所有活動必請新聞局長邵玉銘參與，就是要邵局長瞭解情況，統一發言。他自己從不放話，也不喜歡記者臨時追問，是新聞界都知道的事。

要公開面對一羣記者，新聞幕僚人員並不十分清楚新院長的作風。就像替前兩任院長準備資料一樣，他們把模擬問題和答案送到院長辦公室；郝柏村院長大概瀏覽一下，並不強記，按時下班休息。

第一次記者會，新聞界的反應是「以軍人背景到文人身分組閣，角色轉換中的郝柏村，似乎仍擺盪在角色定位的調適階段。」

半個小時內，他回答了二十二個問題，被形容成「記者的問題比郝院長的答覆還長」；也有人因此擔心，以他的嚴肅答覆記者方式，可能在立法院「應付不了挑戰」。

上任半年的第二次記者會，現場問題很踴躍，三十九個問題，前後歷時八十分鐘。報上的標題是「明快自信、侃侃而談」。

郝院長對政策和問題的掌握，對目標和方向的清晰，尤其是態度務實負責，給輿論界留下深刻的印象。施政愈久，他對記者提出的問題愈能答覆自如；透過電視轉播，使得民眾對他推行政務的魄力和信心增加。

「記者會」停擺

每半年一次的行政院長記者會在週年後突然停止。瞭解內情的人士指出，或許郝院長不願意引起與總統府互別苗頭的聯想，在總統府決定取消記者會後，行政院也停辦了。

原訂上任二週年的記者會，據一位幕僚人士說，郝院長已擬好了開場白，主要告訴民眾，行政院推動的施政是：安定、民主、法治、建設、統一。

這份稿子中提到：「台灣早已是二千萬本省人與外省人的家園，他們一起走過艱困的歲月，他們也正在一起分享努力的成果。」

郝柏村離職前赴台中成功嶺大專集訓中心演講，行政院採訪記者聯誼會會長中時晚報記者李建榮同行採訪，他代表記者們請郝柏村一定要舉辦「臨別記者會」。

郝院長在考慮良久後，終於決定再一次面對新聞界。

這是一個星期四，郝院長剛主持完任內最後一次行政院院會。面對中外記者提出的問題，他澄清了一些事，表達一些不同的看法，更重要的是坦然地去面對他走過的二年九個月。

他不滿意執政黨選舉失敗無人負責；他痛斥金錢與選舉掛勾，引起社會不公；他痛陳國家認同和省籍情結糾纏，使國家前景堪憂。

記者會終於結束，李總統、郝院長誰的聲望高，已不再有任何調查。形象重要？真相重要？誰領先？誰落後？都不再是問題了。

國防簡報與蔣仲苓事件

郝柏村出身軍旅，對軍事熟稔而又關心。

民國七十九年七月下旬的一天，幕僚人員突然發現他的辦公室掛起一幅很大的地圖，圖上中東戰爭兵力的分布情形歷歷在目。院長室就像一個國防部作戰室一樣。郝柏村研究波灣戰爭，目的在瞭解國際戰爭對台灣經濟、外交和國防上的影響，以及該有什麼應變措施。

他的看法和一般輿論推測有些距離。一般輿論把這個戰爭和越戰相提並論，多懷疑戰爭是否會拖延下去。

郝柏村則持相反的看法。根據他對國際戰爭的注意和軍事的瞭解，他認爲這次美國進軍伊拉克和當年越戰有顯著不同：布希是取得美國國會授權、他們有求勝的意志和速戰速決的打算；加上聯合國中蘇聯與中共（二個敵人最可能的支援）都是持反對伊拉克的，伊拉克可以依靠的只有臨近的阿拉伯國家，然而以色列不會加入戰爭，則阿拉伯國家也凝聚不起來。

他判斷戰爭不會拖延太久。

民國八十年元月二十三日中常會上，他報告自己的推斷。他說：「電視上報導的利雅德遭受一枚飛彈襲擊，好像全市民都受傷一樣，事實並不是這樣。」

他同樣的根據自己的判斷，指示經濟部門如何儲備油量、安定民心；指示外交部對駐伊拉克人員以及駐中東人員如何有不同撤僑方式；同時要求國防部門注意兩岸之間的國防安全。

關心軍事引起疑慮

他對軍事的關切，往往引人軍事權力擴張的疑慮。一位軍方人士分析，郝柏村多年來在參謀總長任內，就賦予培養優秀軍人的職責，尤其是高級將才，都在他任內拔擢升遷。人事權的引申，自然予人建立班底的揣測和攻擊。

郝柏村自己倒是認爲培養優秀人才是爲國家。國家花了金錢時間所培育出來的軍事人才，如果因個人因素不爲所用，損失最大的是全國老百姓——納稅人。

不論走到外島或本島，凡經他選入「軍官團班」的將官們，內心無不認爲嚴格的教育非常重要。

他對制度的建立尤其重視，在八年總長任內，和經國先生近二千項事件的談話，經常報告請示。他是歷任參謀總長中，堅信制度是永恒生命的人；對人事升遷也有一定的規則。

二大軍事風波

他擔任文職後，對軍事的關心，引起最大的風波有兩件，一是所謂軍事會議，一是蔣仲苓晉升一級上將事件。

「軍事會議」的名稱是立委葉菊蘭質詢時喊出來的。事實上是郝柏村赴國防部主持國防簡報，正如他主持財經會談、治安會報一樣。

不過真正導致郝柏村要主持這個會報的原因，一位知情人士透露，是因爲上任四個月後的文人部長陳履安對國防上的意見，與一個參謀本部的計畫次長不合，引起爭議。傳聞到了郝柏村耳裏，加上參謀總長陳燊齡與國防部長也時常意見相左。

郝柏村選擇陳履安擔任國防部長，曾徵詢過軍中大老的意見，有人甚至詮釋「政治意義很大」；然而意外地，陳履安在作風和想法上與傳統軍人時有歧見，和中高層將領相處不免發生齟齬，造成後來不歡而散。

軍政、軍令系統的協調，因制度因素原本就易產生扞格，郝柏村自忖兩個職務他都擔任過，既是院長，且陳部長是他所擇部屬，自覺應肩負起協調責任。因此就擬舉行國防簡報，解決和協調一些相關問題。

事先向李總統報備

郝柏村也深知，自己一碰軍事，必會引起誤會，因此七十九年十月十三日這天，特別向李登輝總統報告，準備自下個月起，舉行國防簡報會談。

李總統當時並未表示反對。郝柏村也自忖既然「肝膽相照」，自己公開做這件事已獲得默許。

第二年，六月三十日，葉菊蘭突然在立法院針對軍事會議提出質詢。後來並指出：「郝柏村於行政院召開軍事會議經本席揭發後，李登輝總統也發覺事態嚴重，曾指派祕書長蔣彥士向郝柏村轉達要求停止；然而郝柏村卻悍然不顧弱勢台灣人總統之委婉請求……」

接著下來，自由時報、自立報系整版報導，標題聳動；資料從何而來，郝柏村並不知道。不過對反對黨及一些反郝報紙連續掌握軍方資料，攻擊執政黨閣揆，出自軍方的郝柏村頗爲痛心。

他說：「行政院國防會談參加的人很多，不是少數幾個人開，只是聽簡報，國防部長也在；沒有任何不可告人的事。」一位幕僚人士也說：「召集國防會談就像財經會談一樣，是行政院的職責所在，不能因爲是郝院長開，就被扭曲了。」

郝柏村是一個直率性格的人，對於這件事，他曾親自向李登輝說明。

「這是我向你報告過的，」郝說。

「我希望你做個政治家，不要老是在軍事上面……」李說。

「我不敢說夠條件做政治家，這個事情（國防會談）是行政院長本身的職權。現在爲了不必要的誤解，我不去主持了。」郝說。

不論這是否是一場「人爲的故意扭曲」，「强勢外省行政院長不顧弱勢本省人總統的請求」的論調廣爲散布，已使府院心結因此加重。

軍事任命意見不一

經過這次事件，郝柏村心有所感：「泛政治化是扭曲真相與是非的禍首。事情的真相，是非黑白顛倒。有時我看一些報紙，是又好氣，也覺得好笑。」

在軍事用人上，李登輝與郝柏村的意見並不一致。

對於總司令、參謀總長等高級將領職務，過去是兩年一任，可以連任。然而也因爲兩年時間太短，對業務才剛熟悉，不易施展抱負，過去的賴名湯、宋長志總長均做過五年，郝柏村則擔任了八年參謀總長。

李總統把任期一律改定爲三年，不得連任。中將退役的年齡也由六十五歲減低爲六十歲。

被郝院長認爲是「盡職軍人」的參謀總長陳燊齡做了兩年，已無意留任。按過去制度，這個職務三軍輪流，陳爲空軍，下一任應該是海軍。

李總統任命劉和謙

論資歷，只有劉和謙和葉昌桐最符合；葉因爲被認爲是郝柏村培養的將才，李登輝就選擇了劉和謙。

郝柏村雖不認爲這是最佳選擇，但這是總統的統帥權，他在總統府送來的人事命令上立刻親筆簽署。

副署後第二天，「我邀劉和謙來談，我說，三軍的團結是强國建國最後的憑據。李總統是三軍統帥，我們應該尊重他。我也說，我們不願意見到政治的鬥爭介入軍中。」郝柏村坦率表示自己更重視軍中的傳統和團結。

事實上，好幾位深得郝柏村器重的人士早就告訴他：過去沒有重用劉和謙「是一敗筆」，因爲一般對劉和謙的評價都不錯，幕僚人員的瞭解也都是正面的。

郝柏村的率直和不懂權術也表現在接見劉總長這件事上。郝院長對劉說，他個人還是認爲葉昌桐比較合適。他身邊的人對他這種個性，是既擔心也不得不感慨「他太不夠圓融」。

蔣仲苓事件破壞制度

民國八十年底，執政黨在國民大會代表選舉上大勝，尤其是強力反對台獨的選舉策略下有這種結果，郝柏村很高興。他馬上趕到中央黨部向李主席和宋楚瑜道賀。

第二天，郝柏村得到消息，李總統要升蔣仲苓爲一級上將。他相當震驚。

一級上將升任制度的建立是有來由的。

當年黃杰當國防部長和中常委時，他在國民黨中常會發言：「我們的一級上將相當於美國的五星上將，美國現在已沒有五星上將了。」因此當時決定原則上除了當過參謀總長以外，不宜升一級上將。

經國先生是二級上將，他要當總統時，有人建議他應該升一級上將，他婉拒了。

蔣緯國在民國七十五年滿七十歲，未升一級上將就要面臨退役，經國先生也沒有接受別人建議同意他升級。

李登輝接總統後，郝柏村曾向他建議升于豪章爲一級上將，因爲于豪章是在陸軍總司令任內乘直升機巡視時墜機「因公成殘」，如果升任一級上將，可爲終身役，國家順理可以照顧他。當時李總統也尊重制度，未予核准。

郝柏村不願副署

這些事情歷歷在目，郝柏村對李總統要升蔣仲苓，認爲並不妥當。做爲閣揆，他不願意副署。

對於蔣仲苓升一級上將的事，不僅是郝柏村一人反對，據郝院長一位幕僚人員指出，與蔣同爲黃埔十六期的有宋心濂、陳守山、許歷農，他們對此也有意見，或直接或間接指出「蔣仲苓可以升一級上將的話，我們十六期的人都可以升。」

雙方僵局維持了一年多，李登輝曾經親自下了條子給祕書長蔣彥士，參謀總長、國防部長都知悉此事，蔣彥士在中間穿梭。其間國防部長陳履安也對郝院長有些建議，但不爲郝接受。郝柏村對這樣的「好意」，只能用「我不是這種人」來回應。

最後，郝柏村同意副署，但也同時提出「兩週後提辭呈」；因爲他自己很清楚：統帥命令不可違抗，但他可以用辭職來表達對總統不尊重制度的抗議。

「很多人勸我『你要顧大局』；從經國先生逝世一直到現在，我哪一件事不是爲了顧全大局？」郝柏村已下定堅決反對的心意。

蔣彥士祕書長當然瞭解事態的嚴重，經過他向層峯報告，以後未再提此事。

郝柏村不明白的是，蔣仲苓升一級上將這件事，李總統從未親自和他談過。他也想過，如果李總統和他談，他會明明白白說出自己的想法。

八十一年春節記者會中，自立晚報記者就提出蔣仲苓事件，郝院長即答覆：「李總統從來沒有和我談過參軍長的晉級案，至於你剛才問到我同李總統近半年來的關係，李總統是中華民國的總統，他希望中華民國團結、繁榮、進步，我做爲一個行政院長，是李總統提名，我所做的事情也是希望中華民國繁榮進步，這個立場完全是一致的；老實說，只有別有用心的人，或是不希望中華民國繁榮進步的人，他才希望或者是從中作文章，來希望我同李總統之間有什麼紛歧。」

至於外傳蔣仲苓在七十九年二月政爭中，因非主流軍方曾找他簽名，他報告李登輝，因此而得李登輝重用，不但用他做參軍長，直到他退役後還有辦公室在總統府內，這類傳聞就正如許多的風風雨雨一樣，只有當事人清楚。

破壞軍中傳統會出毛病

不過蔣仲苓事件確實在郝柏村心中醞釀成一個心結，覺得自己半生爲國建軍儲才、建立軍事制度，並沒有私心，也不結派；如今不被信任，用破壞制度的方法，使原本有倫理、有秩序、團結的軍中也捲入政爭，「實在是國家的大不幸」。

「軍隊我主張國家化，絕不會搞軍事政變，可以放一百個心；但是軍隊的團結是傳統，老實說，破壞這種傳統，就會出毛病。」

「台銀董事長、土銀董事長、駐韓大使，他說是誰，我都同意，我很客觀的。別人說我不配合他，請他公開宣布，我有哪一件事不配合？除了蔣仲苓。」郝柏村率直表示相當尊重李總統的人事指示，然而對他熟稔的軍方人士，他卻是堅持到底。

蔣仲苓本人據說個性也很隨和，退役前四個月，他還親自去看郝院長。

八十一年五月二十五日，蔣仲苓去見郝柏村，談了一個半小時。

郝院長親口問蔣參軍長：「我同你共事幾十年，有哪一件事情我要求你，是爲個人的目的向你交代？」

「我與李總統沒有個人權位之爭，」郝柏村說得極清楚。

蔣仲苓立即表示，他決定退役。郝柏村接著說：「你升不升，不是我個人對你的恩怨，這是國家制度上的一個重大問題，後遺症很多，把整個人事制度破壞掉。」

在他心中，一套是非黑白分明的道理，似乎是沒有轉圜的空間。

他對軍方人士熟稔，對國軍大事關心，只是此時此刻，他也不得不感慨，他在日記上記著：「過去忠於經國先生，現在很多人都背離了。經國先生在天之靈要哭！」

流產的中南美洲訪問

八十年七月十日，一則發自日本「讀賣新聞」的頭版報導震撼了台北新聞界，原來「李登輝總統八月分要訪日」。

其實這則新聞只對了一部分。全部事件是李登輝總統八月下旬要訪問中美洲三國——哥斯大黎加、尼加拉瓜和宏都拉斯，可能「順道」訪問日本和美國。

早在這一年三、四月，外交部就開始作業李總統訪問中美洲，參加在該地預計有十國元首參與的世界自由民主聯盟年會。在途中希望能路經日本與美國時，安排見到二國元首，完成繼訪問新加坡後的另一次「務實外交」。

李總統訪日掀起風波

日本新聞界將消息曝光後，有的國內媒體報導這是日本政壇的權力鬥爭，意在「見光死」，也有說是刻意放試探中共的氣球。不過無論如何，都表示訪日的安排不順利，不可能有我方預期的效果。

另有一些媒體報導，此事與亞東關係協會無關，純粹是與金丸信的交情，他盛情邀請李總統訪日。不過也有瞭解内情的人透露，這是一場「破壞體制」的安排，因爲連當時的駐日代表蔣孝武都不知情，主要是由駐日副代表鍾振宏私人和金丸信聯繫。

因此，後來引起了兩個反應。

一是已發表回國任華視董事長的蔣孝武，堅持要在七月一日以前返台，據說是因爲七月分李登輝要「訪問」日本，他有意避開。

蔣孝武並未當上華視董事長，因爲就職當天清晨，他突然病逝於榮民總醫院。

第二個反應是馬樹禮要辭中日交流協會會長。因爲該協會日本會長獲知李登輝要訪日，連他們都不知道，向馬樹禮抗議；馬樹禮很生氣，說他自己也不知道這件事。

日本政府發表聲明

日本是一個非常講求禮數的國家，這種大事透過私人管道；而且金丸信的個人外交，根據路透社的報導，「使東京相當爲難」。

金丸信訪問北韓，私自與金日成簽署協定；訪問北京，又要扮演兩岸中間人，都與日本外交政策背道而馳。因此日本外務省官房長官坂三十次在七月十日發表聲明，强調處理李登輝總統訪日要依據「日中共同聲明」：㈠日本政府承認中共是惟一合法政府；㈡台灣是「中國」不可分的一部分。

務實外交之路的確相當艱困，日本一站「碰壁」，美國的禮遇亦「不足」；加上中美洲會議原來預計十國元首參加，最後能出席的僅一半。因此總統府考量後決定改由李元簇副總統代為訪問。

根本問題出自體制

在總統府副祕書長邱進益率領的先遣部隊評估後，向新聞界解釋李總統暫緩訪問中南美洲的理由是：㈠國內政務繁忙；㈡大陸發生嚴重水災，總統對災情表示嚴重關切；㈢經先遣小組實地勘察訪問三國後，發現若干技術問題無法克服，影響元首安全。

對邱進益的這些解釋，一般媒體反應並不滿意，認為是「不如不解釋」。

李登輝總統要訪問日本，行政院長郝柏村並不知情，是後來傳到他耳中。他覺得，總統出國訪問是大事，外交部內都在安排作業，而自己卻不知情，必定是「體制上出了問題」。

「體制問題」不僅成為郝柏村閣揆任內的困擾之一，也是府院扞格的源頭。它既難解釋，更難解決。

五巨頭高層會議

許多人也許從郝柏村的軍人背景，和他不怒而威的外表，加上反對者的扭曲，認爲他是一個相當霸氣的人。接近他的人則形容他相當能「忍」，甚至後來批評他與李總統的相處「委曲不能求全」。

「他自始至終很尋求和李總統合作，他也希望自己做的事能讓府裏充分瞭解，」一位重要幕僚說。

因此郝柏村一再建議，要在府、院和黨之間建立一個溝通的組織。他常說，立法院黨內同志要瞭解行政院做些什麼事、如何決策，如果透過黨政協調，在事前不同意見可以反映，形成真正的「政黨政治」，就不會在立法院中形成「自己人杯葛自己人」。

後來成立的「黨政首長會議」，就是定期溝通二院意見的橋梁。

和總統府之間的溝通亦復如此，他並不希望自己是「獨斷獨行」，「我要讓總統瞭解行政院決策的過程，」郝柏村說。

「他曾經一再提議，不知道爲什麼，一直到最後一年，總統府才同意，」瞭解內情的人說。

府、院、黨的溝通

八十一年四月的第一天，是週三。中常會後，他和李總統見面，再一次建議每週一下午在總統府內召開會議，討論和府、院、黨相關的事宜。

這一次李總統同意了。這就是「執政黨黨政高層會議」的由來，也是被媒體描述爲「五人小組」會議。成員包括李登輝、李元簇、郝柏村、蔣彥士和宋楚瑜；徐立德、王昭明是列席人員。

在這之前，七十九年二月政爭後，爲表現李總統並非專斷決策和領導，也曾出現過「七人決策小組」；修憲期間，還成立「九人修憲諮詢小組」，訂定修憲的大方向。後來都在政局變化中不了了之，沒有了下文。

李總統也曾就蘇聯變局、兩岸關係、台獨事件和刑法一百條修正等事件，分別邀請過黨政高層人士會商。但也爲不定期、不定人的諮詢。

八十一年四月開始的「五人決策小組」，一方面表現府、院、黨之間有溝通形式，一方面也具有「大團結」的象徵模式。

當時聯合報龔濟專欄曾經這樣評論：「外界對他們之間的關係，頗多揣測，雖事出有因，但也難令人盡信，因爲這五位先生都是有大智慧的人，他們不會看不清他們的處境。在國際間我們仍然孤立，與大陸關係也缺乏進展，國內民衆要求日多，各項建設亟待開展，反對黨充分不合作，已使他們的執政能力面臨嚴酷的考驗。作爲共同負責的黨政首長，他們五人間的關係就像斷交前我們一再『告誡』美國政府的：『合則兩利，分則兩害』。」

單向溝通，引起誤解

郝柏村當初提議五人商討重大政策，是包括府、黨和院之間需要溝通、做重大商量的事。他也是有感於李總統並未就自己個人政治理念，和行政院院長做過討論。

行政院組閣完成以後，「我記得很清楚，我同李總統報告，總統有什麼事情找部長指示，隨時都可以，只要總統叫他回去同我講一聲就可以；讓我瞭解，可以照著總統的意思做，」郝柏村回憶，他是很誠心的希望府院一體，共同推行政務。

郝柏村在任內，有許多機會和李總統談話，但是每次都是院長報告的多，李總統很少把施政構想告訴郝院長，「比方他對外國記者說總統管國防、外交、大陸政策，這些他都沒有同我講過。」

「總統直選、委選是件大事，好好討論（甚至辯論）可以花上二、三個鐘頭，絕不是一、二分鐘就可以表示清楚的。」

「總統要訪問中南美，順道訪問日本、美國，這也是大事，但連行政院長都不知道。」

「李總統的『新孤立主義』的理念是什麼？說老實話，他沒有同我談過，我也不清楚。」

「李總統任命國防部長陳履安當監察院長，我從報上看了才知道。」

郝柏村深覺：「府院應該是一體」，「他有什麼作法，應該同我講，」「許多事，我也不好反問他，反問他變成一種對立了。」

「五人小組」令人失望

正如閣揆與總統的單向溝通，涉及最高層次的「五人決策小組」的討論，也是單向的——行政院提出報告。

討論的議題更令人失望。根據報載，四月六日，討論「警察役」；四月十三日，討論「國安法等三原則」、「政黨審議制度」；四月二十日，討論「麥道案評估報告」、「國中生自願就學方案」、「小店戶課稅」；四月二十七日，討論「國安會等三原則再報告」、「政黨審議制度」；五月四日，「政黨審議制度」、「修憲案」、「美國將我列入三〇一優先觀察名單」。

一位參與的幕僚人士說，每次都是行政院提「這次有二個題目、三個題目要報告」。

「黨部從來不把他們打算怎麼做提出來」，以選舉爲例，黨部總是在要求行政院這個時候不要做這、不要做那，怕會影響選票，但絕口不報告他們對選舉的措施。「好像這個會只是應行政院的要求而開的。」這位參與的人指出，這與當初郝柏村期盼的「變成一個團隊，共同推動大政」的構想，相去甚遠。

事後有人分析，黨政決策非法制化，正是李總統可以運用的空間，他並不願見它制度化，當然就不可能符合郝院長的構想。

不論被新聞媒體比喻爲行政院「交出權力」或「責任分攤」，郝柏村要加強府、院、黨的溝通及建立府院一體的共識與努力，並沒有得到適當的回應。

陳癸淼提名事件

八十一年年中，準備第二居立法委員選舉的行動已在展開。

「徹底解決賄選」，是郝柏村認爲對立委選舉真正選賢與能的根本方法之一。他要求法務機構蒐集賄選構成要件、鎖定主要目標，並訂下五百萬元以上檢舉獎金。在他心中，真正憂慮的是：「黨內容忍賄選，助長賄選。」

外間謠傳，執政黨黨工選舉一次，就「發財」一次，對這一筆選舉糊塗帳，他從不評論，只說：「黨自己根絕賄選，遠比司法可行。」

身爲選舉提名小組的一員，他在抵制提名金牛上，通常都不讓步；但也終究抵不過層峯的最高意見。

提名多了一個林炳坤

澎湖縣立委陳癸淼就是在這樣的情況下，經歷一場是非、權勢與金錢的爭奪。

陳癸淼是現任立委，擔任過四年歷史博物館館長，爲教育界出身的澎湖人。一向形象和表現不錯，屬「新國民黨連線」成員。

執政黨在澎湖提名上多出了一名林炳坤，他從事營建業，在接受記者訪問時自稱「我贏的是人脈，只要我阿坤想出來選舉，所有朋友十萬、一百萬、五百萬的人太多，這是無底洞，」並打著要從高雄返鄉服務鄉梓的旗幟。

熟知內情的人士說，林炳坤有東南水泥董事長陳江章的支持，和養樂多董事長陳重光赴澎湖開流水席助陣；早在三月分開始，「就在澎湖大撒鈔票」。

長榮集團負責人張榮發是澎湖人，他的公開支持，加上李登輝主席的心意，林炳坤得到財團與主流勢力的保駕。

提名小組會上，郝柏村認爲現任立委陳癸淼做得很好，提名他，一定當選；他不認識林炳坤，但聽說他在財團支持下大批送禮、開流水席，難脫金牛形象，又有賄選跡象，對執政黨不利。郝柏村深覺提名什麼候選人，正代表了黨的屬性。到底國民黨是否代表政客？是否代表土豪劣紳？

他在選舉提名前就多次對黨祕書長宋楚瑜提出這樣的不滿，但沒有起任何作用。

高層協調沒有成功

陳癸淼提名事件只是一例，他問宋祕書長：「你一定不要陳癸淼，我也不是一定要陳癸淼，但是一般認爲陳癸淼在立法院很替國民黨打拚。不要他也沒關係，那麼換另外一個非常理想的人也可以。」

他說林炳坤形象惡劣，又有花大錢選舉跡象，不懂爲什麼黨要提名這種人；難道是陳癸淼點名批評過李主席？宋楚瑜答覆說「不是」，但也說不出其他理由。

甚至連總統府祕書長蔣彥士去協調，直到最後一刻，也都沒有結果。後來還是「開放競選」，讓陳、林二人互比高下。

這時反賄選簽名運動，相當熱烈，下至一般鄉間小民，上到李登輝總統、郝柏村院長都簽下大名，矢志反對賄選。

然而台灣本島的反賄選風似乎並沒有吹到澎湖。

林炳坤好似有了尚方寶劍，更肆無忌憚地撒錢。利用基金會名義舉辦「澎湖的一天」攝影比賽，凡帶有設籍澎湖的戶口名簿參加的人，即送照相機一台。這一天，他共送出二萬二千多台相機，總價達八百多萬元台幣。

他的賄選案是二屆立委選舉中第一件被檢方起訴的案子。檢方後來判定：「林炳坤在八十一年六月九日決定參選後，爲圖使澎湖選區有投票權的人投票給他，連續向澎湖選區選民行求賄賂。」

澎湖地方黨部不僅未阻止林炳坤的賄選行爲，還私下動員支持他，打擊另一黨內候選人陳癸淼。

軍方介入成爲謎

在錯綜複雜的選情中，黃復興黨部、海軍、陸軍都被捲進去。

新新聞雜誌裏報導參謀總長劉和謙在十二月十八日親赴澎湖督戰，但事後一位他熟悉的朋友證實：劉總長絕對沒有去澎湖。

又有傳聞，是海軍總司令莊銘耀坐陣，要把海軍的二千多票轉向林炳坤；是總政戰部主任楊亭雲幾次電話來回，要澎防部保持中立。

對於這些傳聞，除了當事人，外人無法得知其中內情，但顯示黨內的競爭暗潮洶湧，內鬥更强於外鬥。

郝柏村對黨的失望痛心，選舉提名只是冰山的一角，陳癸淼事件也只是其中一例。他感慨地說：「但求勝利，不擇手段，事實上連勝利都沒有得到。」

去留之間

如果說三年前郝柏村被李總統提名閣揆令他有些意外，則三年後，李總統設法要他辭職，一點也不意外。

從不同管道，郝院長直接或間接，都聽到李總統對他不利的傳話與批評。

八十一年十一月，一位本省籍大老告訴郝院長的一位重要幕僚：「李總統對左右人批評郝院長：第一，不忘情於軍權；第二，缺少法治觀念；第三，用人也有不當。」

一位瞭解內情的高層軍方人士曾分析，李登輝總統真正不能容下郝柏村留任院長的主要心結有三：

㈠郝柏村身為軍人，時時以黃埔正統出身為念，使李登輝難以介入軍方體系。

㈡郝院長深覺自己做了三年院長，「委曲而不能求全」；如果再做三年，他將不再「委曲」。

㈢李總統對郝院長召開軍事會議，始終不能釋懷。

早有不留他的跡象

許多跡象也顯示，總統府對於郝柏村的不滿意，不願他久留，正透過各種方式表露出來。

八十年三月的某一天，一位位居要津的大老告訴郝柏村：有一位黨中央要員準備策動新聞界反郝；八十一年三月，外界傳言，府裏傳話要把比較敢言的聯合報，「從大報變成小報」。

不論這些傳話是否真實，郝柏村深知輿論被左右，民意被扭曲，選舉和民主都將喪失公平與正義。

後來的一連串民進黨立法委員質詢「軍事會議」、「王建煊辭職風波」，似乎都反映無風不起浪。

浪頭其實是朝著郝柏村打來的，目的是要他自動下台。

八十一年中期以後，關係著郝柏村是否留任的年底中央民代選舉開始布局。與其同時的一股倒郝之風則全速開啓。

黨並不支持郝院長

七月上旬，郝柏村自忖年底選舉中，至少要有五十名支持他施政理念、敬業的立委當選，他才有繼續任閣揆的力量和必要，否則立法院動輒以議事杯葛，政務是極難推動的。

五十名執政黨立委，包括不分區立委，身爲執政黨按理應不是問題。無奈流派的爭奪、府院的心結，早已埋下不可能的伏筆。

他多次與執政黨祕書長商討，顯然宋楚瑜也無法決定，他只執行層峯的意見。本應在不分區代表上即可做的決定，卻顯現不出支持現任閣揆的意向。

郝柏村和宋楚瑜就全國不分區黨內提名交換意見時，他發現，宋祕書長基本上先把提名名單給李總統核可，然後再來協調或交給七人提名小組。

因此過程中，李總統堅持排除陳癸淼、葛雨琴，郝院長堅持要保留，「宋楚瑜變成兩難」。

他也同時發現，在不分區代表提名中，支持李總統直選派的國代和立委優先考慮；而郝院長堅持功能性分配。最後郝柏村的意見只受到一些尊重。

立委選戰中，執政黨在地方上決意多數不辦初選；黨中央執意提名人選和開放競選的結果，地方派系和金牛羣起。這些事實都表示黨中央無意留住郝柏村。

從「倒王」到「倒郝」

另一方面，藉「土地增值稅」，在地方散布「外省人部長搶本省人土地」的流言挑起省籍情結。一位本省籍黨國大老歎息：「這次政爭擴散到地方，十分危險。」王建煊深知「倒王」風波最後可能演變爲「倒郝」風波，乃自請辭職。

八十一年底，郝柏村與一些黨國大老和學者交換內閣總辭的意見。

十一月，郝柏村得到消息，下屆行政院長是連戰。

他請教憲法學者有關總辭問題後，去看孫運璿資政，「我感覺到恐怕不能再做行政院長了，」孫資政則勸他：「一定要忍耐。」

這期間，因提名作業和人選問題，府院之間關係又進入新的低潮。另一位本省籍大老觀察政局演變，分析著：

——明年二月，郝院長看來一定下；

——黨主席和總統應當分開；

——上次政爭在高層，這次擴及到基層；

他進一步說：「如果郝院長現在辭，那是下策；選一個時機宣布明年不做，是中策；能再繼續做下去，是上策。」

十一月十三日晚，包括王昭明祕書長、行政院顧問的聚會中，郝院長沈痛地說：「他們以鬥爭爲主，我們以做事爲主；這樣鬥下去，不會好，與其那時下台，不如現在交，現在還不是個爛攤子！」

談話氣氛的凝重，正反映出郝柏村的心情：「我不能再做下去了！」

任閣揆如騎驢

同年秋天，回到美國教書的高希均教授傳真一份五十年前林語堂發表在「論語」半月刊上「有驢無人騎」一文給郝院長。

其中形容做行政院長如騎驢，當時孫科、汪精衛、于右任、戴季陶、蔡元培等人都不願騎：「行政院長一席甚難坐穩，如一匹笨驢，在驢背上的凶多吉少，一不慎，堪虞隕越。孫哲生騎了幾天如坐針氈，趕緊下驢背。汪先生爲時局所迫，迫上驢背，初以爲有何樂趣，後來鞭策不動，覺得騎驢之樂也不過爾爾，便也下來，請他人坐。」

郝柏村雖知「騎驢不易」，然而記在當天日記上的：「當時未敢輕率接，今後未敢輕率留，目前未敢輕言辭。」正是矛盾心態的寫照。

不被信任、屢受打擊、傳統倫理、正直性格，在這場「進退兩難」的戰爭中，將軍決定退出，他曾感慨地說：「如果經國先生當總統，我一定可以爲國家做很多事，沒有後顧之憂。」

十一月二十七日是郝院長決定總辭關鍵的一天。他二度請教胡佛教授，談到：第一，我國的憲法是内閣制，應回歸憲法；第二，行政院長副署權就是同意權；第三，行政院向立法院負責，其任期自然與立委相同，不必憲法規定。二居立委開議後，行政院應該總辭，彰顯内閣制精神。

「所以我決定總辭，以建立内閣制度。」郝柏村回憶當天談話要點。

準備選舉結束當日辭

八十一年選舉將近，他準備在十二月十九日選舉當天投票一過——五點零一分，就宣布辭職，表示自己無所戀棧，也不爲選舉結果對他個人有利或不利而辭。

辭職聲明早已擬妥，但思忖應先向李總統報備一聲。投票前夕，他向李總統談到總辭，總統說「暫時不要提，等選後再說」。

選舉結果，黨内的集思會和主流派支持的金牛大敗；民進黨大勝。新國民黨連線和臨時決定參選的王建煊、趙少康均獲選民高票支持。

此時，希望郝柏村不辭職的各界人士又在「勸進」，他事後回憶說：「我當時陷入兩難境地，爲自己著想，絕不戀棧權位；但面對這個情況，我考慮的關鍵性問題是在行政院能不能做事？不能做事，光是爲了政治鬥爭來……我就不願意。」然而各地來的支持鼓勵，又使他相當爲難。

勸進之聲又出現

勸退人中，以長子龍斌爲首，他認爲「不要打這場沒有把握的仗。」

不少人認爲他辭職就是「自動繳械」；更有人說「政績很好，憑什麼要下台？」

八十二年元月十三日，在中央黨部、中正紀念堂，都有支持郝揆連任的遊行，很多人去見郝院長，希望他不要辭。這時的民意調查也認爲：郝柏村續任閣揆是最佳人選。

郝柏村自己則在想：你讓千萬人滿意重要，還是讓一個人滿意重要？

政務委員李模也勸退他「維持政治家風度，在歷史上留下好評」。郝院長對這種善意十分感佩，但是「問題是研究黨國的情形，一直到今天我心裏還是矛盾，」郝柏村卸職後追憶，仍有所感。

大老孫運璿、謝東閔、俞國華、李國鼎等人都很關心總辭的事，他們交換意見，甚至決議由謝資政和孫資政去見李總統，表達意見。

後來李登輝總統拒見，事後還透過祕書長蔣彥士說「沒有求見這回事」，郝柏村對這件事深覺難過。

在這段進退兩難的期間，郝柏村反覆思考著國家制度問題：是否總統與黨主席應該是同一個人？行政院長是對整體施政負責，還是對個人喜惡負責？

辭與不辭之間

辭與不辭之際，各方的看法很多。

有人說依法，並未規定行政院長要在立院改選時辭職；依理，國民黨仍是執政黨，掌握多數席位，沒有辭職的必要。

更激動的人對郝柏村明示：李主席給副主席的位子是靠不住的，不要上當；要辭也要等到十四大之後再辭，否則盡失原有資源。

郝柏村對這些看法與意見，「我個人是不贊成的，」他明白的說。

他之不贊成，是認爲「我不能拿整體國家社會的利益，做個人權力鬥爭的籌碼。」當時他對李登輝的信任似乎並未完全喪失，也堅持從大局思考的重要。

另一方面，他深知如果不辭，將來行政院與立法院的僵局不會打破，除了民進黨的公開杯葛，還有國民黨內部的傾軋。

他感慨地說：「我二年九個月開創出來比較健康的情勢，如果又在我自己手上毀掉，我於心不忍！」

在郝柏村內心深處，決定辭職，是「爲了顧全大局」，是「要建立內閣制精神」；另外，他也想重振國民黨。

正是因爲行政院長的職務，讓他更深切體認黨務的缺失：黨紀、黨魂、組織……；他常常在談，卻毫無改善，「國民黨的問題太多，我也覺得，如果能把自己的經驗在黨務革新上著力，會更有發揮。」郝柏村認爲到黨裏去工作，即使「做一名義工」，意義更甚於閣揆的個人權位。

可惜因爲政治的權力鬥爭，許多誠信、公義都被扭曲，甚至被形容成交換條件。

爲建立制度而辭

八十二年元月三十日，國民大會臨時會閉幕式上，民進黨員衝上台前，郝柏村振臂高呼「中華民國萬歲！消滅台獨！」當天中午，新聞局發布新聞，郝院長決定辭職。

他的辭職立場在二月三日中常會中說得比較清楚：「二屆立委選舉後，依理內閣應否總辭乙事，本人的立場從修憲策畫小組到今天，都是一貫的，即應尊重立法院對閣揆的同意權而進行總辭。本人原擬在去年十二月十九日選舉投票截止後開票前，即宣布此意向，惟在主席面報時，經諭以政局安定爲重，不必宣布。

「然內閣應否於二屆立委選後總辭，就憲法及慣例而言，各方意見不一。本人認爲此乃一重大憲政制度問題，非本人一人所能擅專，必須由執政黨作一政策決定。

「本人在行政院服務，一切均以國家利益及人民福祉爲施政首要考慮，全無個人進退得失之心，相信應爲國內外同胞所共知。

「二屆立委選舉後內閣總辭與本人是否續任行政院長，其意義並非全然相同。而月來政局不安，各界支持本人繼續在行政院之意見蜂擁而至，本人對海內外民意的支持，實難毫無回應，乃表示總辭後，如蒙再度提名，自當從命留任行政院服務，此實乃感於社會厚愛之深，用以回報，並非個人戀棧權位之意。

「本人堅信，過去兩年八個月以來，雖然任務艱鉅，但在行政院同仁共同努力，黨國大老、工商企業勞工農民領袖支持，社會各界民衆愛護之下，以政府現有績效，實難以個人理由提出辭職。故今日表示不再續任行政院長，有違各界支持愛護盛意，深感遺憾。柏村至盼社會瞭解，此一決定並非蓄意逃避艱鉅。

「本人再重申，此次內閣總辭乃是憲政制度大事，而本人不再續任行政院長，有拂支持者盛意，亦非出於個人因素，敬請各位先進，全國同胞，共鑒並諒。」

這個「總辭案」在中常會中是個報告案，而非討論案。黨部的用意則是郝院長辭職已定，不需討論與表決，更怕節外生枝。

新閣揆護航上壘

一位觀察政局的人，在當時主張：郝柏村應該辭職平息政爭，留下盛名。事過境遷他回首又怪罪：郝柏村當時該爭的就要爭，就不會弄得如今大權一人掌握。後來政局的演變，被形容「如意料中，大權獨攬」。

郝柏村提出總辭後，新閣揆人選立即成爲另一個注意焦點。不過大多數政壇人士早已聽聞和知悉新人選。

二月九日，李總統第一次在郝揆總辭後見他，李總統告訴郝院長：要提名連戰組閣。他並表示是先告訴郝柏村，還沒有告訴連戰。郝柏村心中則清楚：「這都像哄小孩一樣。」

二月十日，中常會通過連戰組閣。

二月十八日，徐立德、王述親去見郝院長，請郝院長對黨籍立委呼籲支持連戰。郝院長當時表示他支持連戰；但對他們提到新國民黨連線，郝院長說：「新連線又不是我領導的，你們應該自己同他們溝通。」

二月二十二日，郝院長呼籲黨籍立委一致投票支持連戰。這時立法院內民進黨有十七位委員不領票，目的是要降低半數的基數，護航連戰上壘。

二月二十六日，中常會通過內閣名單。有人發現省主席也在裏面，似乎是「夾帶」。因爲省主席任命應在行政院長就職後單獨提名，經省議會通過任命。省主席如果單獨在中常會提名，「恐怕過不了關，會有爭議」，因爲有人會抗議：「宋楚瑜沒有爲去年底選舉失敗負責，反而高升。」

繼續爲民主化奮鬥

二月二十五日，行政院記者聯誼會舉辦茶會歡送郝院長，他對新聞界說：「以前我做行政院長，是輕車簡從，今後我到各地去訪問，是輕車無從。但是我爲了決策的制度化、民主化還是會繼續……」

還是會繼續爲民主化、制度化奮鬥的郝柏村，是因爲他相信政治不能長久耍權術，要堂堂正正的做。

「很多人從政治鬥爭立場，說我太老實了；我感覺做一個政治人物，總是要坦蕩蕩的，不能搞權術，政者，正也。」郝柏村對政治感觸良深。

是與非，個人與羣體，郝柏村的總辭真能建立制度和留下教訓嗎？

李郝四次關鍵性談話

民國八十一年十二月，國民黨在中央民代選舉中挫敗，使得一向信心十足的李登輝主席十分難堪。開票當晚，李主席提早離開中央黨部，那凝重的表情，透過電視鏡頭，選民記憶猶新。

現在，他又面臨另一個難題：如何要他當年親自提名「肝膽相照」、政績又普受肯定的郝柏村下台？又如何向選民交代五年之內換三個行政院長？

從政治現實上來說，兩年前以郝柏村接替李煥，李煥未曾反彈，運作上並無困難。同樣的，如果以林洋港接郝柏村，郝柏村不會反彈，運作上也沒有困難。

從內閣應否總辭來說，多數人，尤其元老級的中常委私下都說過：「問題不在個人的意願，而在制度的建立。」

從民意來看，郝內閣的政績被大部分人民肯定，郝院長的聲望也一直高居七〇％以上。包括工商大老，也直接在總統官邸，私下向李總統建議：應當請郝院長繼續做下去。

從國民黨的前途及內部團結來看，當選民厭惡國民黨與金權及地方派系勾結之時，又遭到空前挫敗，正可借重比較廉明的郝柏村來重建黨的新形象。

決定親自請見溝通

但是，郝柏村深知所有這些理性的分析，都抵擋不住李總統要換閣揆的決心。經過思忖，他決定不透過第三者，親自請見李總統，當面直接溝通。

環繞著內閣應否總辭以及施政理念，李郝之間有四次關鍵性的談話，時間分別是：八十一年十一月二十日、八十二年元月十八日、十九日和二十五日。

四次談話內容重點在：對黨的理念和團結、對統獨的看法、對總統和行政院長權位的看法、對內閣總辭的看法。

歸根究柢，李登輝希望郝柏村自己辭行政院長，而郝柏村堅持「應該由黨做政治性決定」，並認爲總辭和留任是兩回事；李登輝承諾郝柏村十四全後給他做副主席，並擔任黨的政策小組召集人，郝柏村則表示，他有救黨的使命感，但不計個人位子。

第一次談話要點（八十一年十一月二十日，中央黨部，二小時。）

李登輝：

●有人説我是台獨或獨台，這樣黨內怎麼團結呢？

●有選票才能執政！

●是不是要讓我不做黨主席？

●現在不必談行政院長總辭的問題。

●教會的公開信是什麼意思？耶穌基督犧牲自己釘十字架，就是證明自己的理念情操是在愛心。（按：當時基督教徒憂心政經惡質化，曾聯名給李總統一份公開信，對他提出建言，求神賜予決策智慧，使他明瞭民意歸向，秉公行義，趨善罰惡。）

●三年後不做總統了。

郝柏村：

●黨的團結很重要，説台獨、獨台是別人説，我們在政策表現上能取信於人，就可以澄清這些事。

●選票是要靠理念政策來贏取，不能靠金權派系勾結搞選票。

●我没有意思做黨主席，我支持你做總統和黨主席，當年就是這樣。

●做爲行政院長，我願意總辭。

●大陸政策問題。

●這是中國民主憲政、統一大業的大好天時、地利時機。個人與李主席並無權位衝突，成敗關鍵在團結。

●我絕不戀棧，法治制度才是永恒的生命，要在建立制度上寫下民主不朽的歷史，我們應共同朝此方向做。

●國民黨是百年大黨，從未是「一言堂」，黨内的決策組織與理念要清楚，要包容，要與民進黨畫清界線。

結論：交換意見、總辭無結論。

第二次談話要點（八十二年元月十八日，總統府，五十分鐘）

李登輝：

●肯定郝院長二年半的政績。

●國民黨十四全會後，請郝院長做副主席。

●由郝柏村擔任黨的政策指導小組召集人。

●成立黨務革新小組，研究黨務革新，修改黨章。

●要求行政院總辭。

●要換黨祕書長宋楚瑜。

●重提三年以後不再競選總統。

郝柏村

●堅持行政院總辭問題，應由黨作政治性決定。

●我對黨務革新有使命感，但不計較個人的職位。

結論：總辭問題陷入僵局。總統府要發布談話新聞，行政院要求看新聞稿。

第三次談話要點（八十二年元月十九日，總統府）

李登輝：

●再說宋楚瑜一定離開中央黨部。

●連戰和林洋港任行政院長如何？

郝柏村：

●對黨的革新構想，要重振黨的組織、黨的紀律。

●當一切都上了軌道時，連戰適合任行政院長；林洋港有應付難題的藝術，做得好，是李總統的賞識，做不好，他要自己負責。贊成先請林洋港做行政院長。

結論：對新任行政院長人選無共識。

第四次談話要點（八十二年元月二十五日上午，總統官邸）

郝柏村：總辭與我留任是兩回事，我表示願意留任，那是對支持者的回應，不能辜負他們的期望。

李登輝：上次談好了，給你做副主席，現在你表示……

郝柏村：最近因爲一連串大家有反應，我也不能說大家支持我而我不做啊，總辭與我繼續留任是兩回事情；我表示願意留任，是因爲最近一般民意，大家對我支持，我不能辜負他們，所以我要明確表示回應。

郝柏村：行政院及中央黨部的改組，要表現一個全黨團結的陣容；黨祕書長需要各方能接受的人選；黨內決策制度化、民主化是必然的。

李登輝：黨內是沒有民主的！

結論：總辭問題尖銳化，接近決裂。

（這次以後，李郝再也沒有兩人晤談過。）

我不拿黨一分錢

八十二年元月十八日上午，李登輝總統與郝柏村院長就內閣總辭問題進行關鍵性地攤牌。當時「新新聞」雜誌曾刊出「寒流過境的深夜，郝柏村官邸的燈還亮著」一文，描述郝府當晚的聚會。與會一位人士事後追述當時的情景。

決不戀棧

十八日晚九時不到，在郝院長家不到六坪的小客廳中，聚集了七位朋友。其中有民意代表，有道義之交，也有與他共事多年的同僚。

他們都已經風聞在上午與總統五十分鐘的約談中，總統表達了不會再提名他擔任行政院長的意思。總統同時也告訴郝院長，仍盼望借重他，希望他擔任國民黨內將設立的中央政策指導小組召集人，以及十四全修改黨章後增設的副主席。

院長還沒有回家，這些朋友在閒談。與其說「他們失望」，不如說「他們爲院長鬆了口氣」。他們讀過張作錦先生在那一期「遠見」上寫的文章「請外省政治人物全數退出政壇」。

在立法院裏，以及在選舉期間，他們認爲郝先生幾乎是一個人承當了對國民黨政策的批判以及加諸於他個人的羞辱，也只有他敢對這種反對論調硬來硬去。在野黨的批評還可以理解，國民黨內同志的攻擊，如何解釋？

兩年半來，具體的成績如治安、經濟成長、嚴查逃漏稅，都呈顯在國人眼前；無形的改善如公權力、公信力、政府效率也是有目共睹。因此，不論是哪一種民意調查，大多數的選民都肯定行政院的施政表現。

只求改革，不計職位

現在，總統如果有更合適的行政院長人選，正如郝先生私下（以及公開）所一再表示：「我決不戀棧。」他常嚮往：「卸任之後可以多打高爾夫球、多旅行、多與孫女在一起，以及有時間多看書及寫些東西。」

九點零五分，院長偕王昭明祕書長一起回到了家。院長表示歉意的說：「張學良先生請吃晚飯，遲了些回來。」從他親切的寒暄中，不會知道他今晚的遭遇就如兩年半前的李煥先生一樣——當事人是一樣的鎮靜，旁觀者是一樣的覺得：「說意外也不意外，說不意外也意外。」

王祕書長首先重複了次日會見報的總統府新聞稿的要點。並且强調：「院長認爲新聞稿中不必對行政院有所稱讚，也不必提他出處的安排。」

郝院長補充：「我本來在去年十二月十九日選舉投票結束那天的下午五點，就要公開宣布辭職的，早一天與總統見面時，談及這個決定，總統說：『等選舉完了再說。』而躭誤。」

對早先外傳請卸職後的郝先生擔任國家安全委員會副主委的安排，郝院長說：「我告訴他們，不要爲我的出路費心。」

既然郝院長不做院長，誰去做呢？有人說：「林院長很合適。」也有人說：「找連主席也好，這樣行政院施政的責任，總統府都無法推卸。尤其没有郝院長做擋箭牌後，所有民意代表的責難就是一箭雙鵰——府院變成一體。」

話題轉到李總統對郝先生在黨内的安排。郝先生自己先堅定地說：「

今天的黨需要改革。做爲一個國民黨黨員，義不容辭地要爲黨的改革出力。我自己一直認爲，只要能爲黨有些貢獻，什麼職位都可以，義工也可以。而且，我不會拿黨一分錢。」

王先生以他擔任祕書長的經驗補充：「沒有黨的支持和配合，誰當行政院長都吃力，尤其下一會期。」

郝院長又展現了他旺盛的企圖心：「如果李主席要我來爲黨服務，我就必須全力發揮黨政密切配合的精神，否則行政院的施政就會處處遭遇困難。」

發揮黨的力量

郝院長在思考如何以黨的力量推動政務時，有人提醒他：「這一個指導小組是體制外的組織，除非制度化，否則不易發生想像中的功能。」

當大家還在不斷討論這個小組到底能否發揮功能時，郝院長二次打斷討論，轉換題目：「我很關心國民黨的立委在立法院如何團結一致，使執政黨的政策能順利推行、行政院提出的法案能順利通過。」

時間快接近十一時，大家正要起身告辭。主人說：「新年快到了，吃些年糕才走。」二十分鐘後，長媳與長子端出了點心，剛結婚的老二也出來幫忙倒茶水。

寒風細雨中，走出郝府，已是午夜。「新新聞」的攝影記者還耐心的等在門外。

什麼時候，我們才會有雨過天青的日子？

李郝體制，一開始就注定了不成功的命運。

從右至左的人士依序爲邱進益、蔣仲苓(李郝心結的關鍵人物之一)、蔣彥士、李元簇副總統與夫人、郝柏村、蔣緯國與張復。

記者會中面對記者的發問侃侃而談，務實的作風受到民眾欣賞。

在經過重重的權力衝突後，
二者的互信互諒蕩然無存。

第九章

跳出政治旋渦

日記摘述

「泛政治化的意義，是把一切事情從政治的得失、利害、恩怨觀點去看、去分析、去作結論，這完全失去了是非的準則。」

「整個社會風氣，大家都是爭、爭、爭、爭權：社會權、生存權、工作權、罷工權，還有造謠權、誹謗權、抗議權、逃稅權；台灣社會泛政治化爭權奪利，就是沒有公理權、沒有正義權。」

「黨的理念要落實於施政，理念和施政如果脫節，一切都淪於空談。空談得不到黨員認同，更得不到人民的支持。每一張選票，就是對執政黨施政表現的判決。」

「國民黨歷次的挫敗，都不是敵人如何強大，而是自己不爭氣。黨員守則中，沒有一條是爭權奪利、猜忌鬥爭的。」

「國民黨的本土化，是要多爭取本省籍的黨員，來實踐國民黨的三民主義，絕不是把國民黨的組織、理念和發展局限在台灣，本土化絕不是台灣化。」

辭職前後

在郝柏村的軀體中，始終流著中國人的血液。

過去軍中的出生入死，爲的是捍衛祖國——中華民國；轉任閣揆後的全力建設，爲的是壯大台灣——中華民國的復興基地。這個中華民國，守勢上是復興基地台灣；攻勢上是一個「民主、均富、統一的新中國」。

八十年九月二十四日，立法院中，他毫不含糊地表示：「最近出現所謂『台灣共和國』的言論，已經造成了社會的紛爭和不安，我們堅決認爲這違反了中國歷史文化的精神，而終將被全民所唾棄。」

在國內外的媒體訪問中，他總是清晰的指出：「本世紀以來，我的志向始終如一：爲中華民國的復興與現代化而奉獻犧牲，使中國人走到世界任何角落，都受到尊敬。」

正是這種「中國」及「統一」的理念，使他面臨兩種截然不同的遭遇：在台灣受到一些台獨人士嚴厲的批評，在海外受到大多數華人熱情的歡呼。

國民大會的一幕

八十二年一月三十日上午，郝院長以及其他四院院長應邀參加國大臨時會閉幕典禮。十時十五分，當他進入會場時，民進黨國代手舉「郝柏村下台」的布條，配合海報與叫囂，來勢洶洶；直選派的國民黨代表或冷眼旁觀，或相互呼應。

在舉布條的人擁向郝柏村的緊張氣氛中，他振舉右臂高呼「中華民國萬歲」、「消滅台獨」。

十一點四十分，下山回到院長辦公室的郝柏村，核定早已準備好的辭職聲明。一個小時後，由新聞局正式對外發布。

辭職聲明中提到：「自二居立委選舉後，政院應否總辭，各方意見不一，而海外同胞對政院政績之肯定與對柏村個人之支持，函電交馳，更令柏村感動與感激。惟爲配合當前政治情勢，柏村已決定不再繼續擔任行政院長之職，並將在近日內透過適當程序，完成總辭。」

聲明中「配合當前政治情勢」，道盡了當事人心中欲言又止的隱痛，反映出非當權派大將形容郝柏村「未打仗先繳械」的無奈。

辭職後權力集中

這份二百字的辭職聲明，就像一顆終要爆發的定時炸彈，炸散了擁護郝柏村院長的人心；更像一個當權派等待已久的訊號彈，傳達了李登輝總統可以全權主導大局。

當電視上播出郝院長在中山樓被民進黨圍困的鏡頭，一些人激動感慨，一些人搖頭歎息，一位國民黨元老更直率的說：「大概兩個人最希望他下台：一個是民進黨主席，一個是國民黨主席；兩個人的目標一致，理由不同，沒有了郝院長，民進黨的台獨可以加速，國民黨的大權可以集中。」

做了重大決定後的郝院長，既不覺釋下重負，也沒有責任已了的心情。

當天晚上，許歷農、陳長文等幾位到士林郝寓，爲他終於做了決定致意。長子龍斌端出了「澎大海」，笑著向客人們說：「爸爸今天嗓子有些啞，你們一起喝澎大海。」

郝院長鎮靜一如往常，似乎上午中山樓的一幕早已成了往事。整晚的話題還是繞著：行政院施政要如何得到立法院支持，「即使他辭掉了行政院長，還是念念不忘行政院的施政，」一位當晚在場的人士感歎的追述。

陽明山上與紐約機場

八十二年五月六日，紐約拉瓜地亞機場出現引起旅客側目的一幕，從晚上七時開始，就逐漸擠滿了華人，他們有人手舉國旗，有的捧著鮮花，都是來「歡迎前行政院長郝柏村」。

氣候不良，當天郝資政飛機延誤了四個半小時，來自各地的二百多位華僑卻沒有散去。凌晨零點四十分，郝資政步出機門，立刻被人羣、鮮花和布條圍住，他們叫著：「中華民國萬歲，」「院長，我們永遠支持你！」

同一個人，同一個理念，中山樓與拉瓜地亞機場出現了截然不同的遭遇。誰能料到，當年蔣中正總統訓練國民黨員的陽明山，會演出逼退這一幕；當年台獨大本營之一的紐約，會有這樣熱烈的歡迎。

華僑對郝柏村的期望，在他卸任後更殷。芝加哥華僑的聚會上，有人以詩相贈，十足反映這種情緒：「台獨獨台亂紛紛，海外華人欲斷魂，民主中國何處有，華僑遙指郝柏村。」

一位經濟地理學教授柳照（筆名），寫了一首長詞送給離職後的郝資政，其中提及：

「五千年，細數歷朝將相，誰勝今天？
治理多元社會，主人千萬，問政苛偏。
持宏觀，折衝殿堂席上，矛盾陣前，
全憑智信仁勇，從容中道，亦藺亦廉。」
面對這些殷切期望的支持鼓勵，郝柏村總是說：「老百姓最可愛，只要爲他們做一點事，他們就會這樣對待你。」

個人出路

郝柏村畢生從軍，軍人的思想單純，就是奉獻黨國。他經常提及，黨是指中國國民黨，不是「台灣國民黨」，國是中華民國，不是「台灣共和國」。這樣涇渭分明的態度，不容於當前的民進黨，也難容於國民黨的當權派。

在他提出辭呈到正式卸職間的幾個月，關於他的未來出路，李總統（李主席）自己以及透過重要的第三者告訴郝院長，他卸職後要請他擔任黨內尚未設立的中央政策指導小組召集人、十四大後增設的副主席以及國安會的副主任委員。他則透過蔣祕書長和王祕書長向層峯轉達自己的心意：「不要爲我的出路費心。」

不論當本人或第三者如何提出或轉述，郝柏村心中十分瞭解，從過去層峯對邱創煥、王玉雲、高育仁等人答應職務而未兌現看來，是不能對這種承諾寄予希望。

後來事實果然證明，政策指導小組召集人不了了之；國民黨十四全會時，爲設置副主席一事，波折多端，最後李主席也是被在場一六〇〇位黨代表中有一〇〇七票贊成設副主席的情勢所逼，不得不設立副主席。

郝柏村真正在乎的是：是否「有尊嚴的辭職，重於有面子的出路」。

不少人對郝院長的建議都十分相近：卸職之後，就不要再操心政治。有的甚至慨然的說：「寧可認輸；不要犯錯」。

遠離政治是非圈

他們都認爲，郝柏村應該及早跳出台灣政治圈，多爲海內外中國人的未來思考。這就是爲什麼他在卸職後二次赴美演講的遠因；他在七月初芝加哥北美華人學術研討會上，發表「中國人應在二十一世紀中揚眉吐氣」專題演講，正是他的心聲。

在現場聽他演講的長子郝龍斌教授最能體會父親的心情：「他不是在爲國民黨十四全在海外造勢，而是在爲遠離台灣政治是非圈暖身。」

中國心

真正瞭解郝柏村的人深知，他把生死進退看得很輕，把是非黑白看得很重。

因此，辭職前後，他不輕言辭，不是眷戀職位，更不是要換一個職位才辭，而是要建立制度，樹立是非。

在八十一年春天，國民大會會期時，郝柏村告訴宋楚瑜：「不要在台灣爭取權位，而要放眼中國統一的目標。」

因此，當他的個人進退變成熱門話題時，他自己最常思考的還是那剪不斷、理還亂的兩岸關係，與中國必將在民主、自由、均富下的統一。

大陸政策拿捏允當

身爲外省籍的行政院長，對大陸政策，郝柏村深知必須分寸拿捏允當。

一方面要尊重李總統的主導權，一方面要監督陸委會的政策制訂。他明瞭：如果兩岸關係發展過快，會引起强烈的疑慮；如果關係僵持，則不符合台灣本身的利益與發展。

八十年十月，面對立委黃明和、蔡奮鬥和蔡勝邦等人的國家認同問題質詢，他以一貫堅定的立場說：「我們一定要堅持一個統一的目標，才能維持台灣海峽的平靜；則有利於國家安全、社會安定及政治經濟發展。」

他又說：「統一對台灣二千萬同胞及大陸十二億同胞而言是『兩利』；若搞台獨，我們自己會孤立，也會造成內外對抗，對本省二千萬同胞是絕對不利的。」

他認爲未來兩岸關係的發展，要朝實現三個條件去做：

㈠兩岸和平競爭。各自從事政經改革，提高人民生活福祉，培養統一的有利條件。

㈡兩岸相互承認爲對等政治實體，一個中國是共同的理念，但也必須接受我中華民國爲一政治實體的現實。

㈢兩岸共存國際社會。中華民國反對「兩個中國」、「一中一台」、「台灣獨立」，但也必須有國際活動空間；如果中共一味排斥打壓，對雙方都是傷害。

工商界大部分人要求「三通」，郝柏村在任上時，認爲時機未到。他認爲，兩岸分隔四十多年，在截然不同的制度和意識形態下，短期內恐怕難以建立共識；「如果中共的一國兩制、不放棄武力犯台，以及國際上孤立我們不能改善」，三通就不太可能。

交往加速質變

然而，郝院長相信自由世界與中國大陸的交往會加快內部的質變。在他閣揆任內，曾接受美國公共電視節目「火線」主持人訪問，面對共產國家是否應「給與援助」問題時，他指出：「共產主義國家已經改變了，自由世界應該幫助它們儘快恢復經濟的穩定，使它們轉變成市場自由經濟制度的階段儘量縮短。」

他也說：「和平轉變在共產主義社會裏是擋不住的，據我們所知，現在仍是共產主義的國家領導人，其實心中早已不再相信馬列主義，但口裏不好說，只好從事實際的經濟改革，不談意識形態的問題。」

透過美國電視，美國人民可以瞭解到，當年反共的高級將領，現在成爲「以和平轉變共產主義本質」的文人了。

郝柏村雖然在政策上認爲要等中共善意回應後，才能「三通」，及進入國統綱領的中程階段，但是他也相信「知彼知己」的重要，因此遇到有人向他請示去大陸觀察，他很少不同意的。

民國八十一年春天，身爲國策顧問與行政院顧問的趙耀東，應邀赴北京開會演講，在向總統府徵詢意見時，也徵詢郝院長，他不僅不反對，還希望趙耀東：「把我們經濟發展的經驗告訴他們。」

同一年的秋天，主管法務的政務委員張劍寒請辭，郝院長中意曾任教育與經濟部次長李模出任。李模十分猶豫，除了他接任要放棄專業律師職務外，他與夫人正計畫回大陸探親。郝院長對他說：「先去大陸，回來再接。」

郝院長的長子台大食品營養所教授郝龍斌，在八十一年暑假有機會應邀赴北京參加國際學術會議，並提出論文。郝柏村並不顧慮有心人可能的攻擊，他覺得既是國際性學術會議，「我不反對他去參加。」

他們都不怕，我們有什麼好怕？

意志堅定、是非分明的郝柏村，常受到抹黑與扭曲。事實上，「他反共但不是反大陸的人民，正如他反台獨卻不是反台灣的人民」的理念，很少不言行一致。

在他對兩岸關係和中國未來的理想藍圖中，他希望透過良性的互動，逐漸改變大陸。因此，他卸職後在芝加哥國建會中呼籲中共：「適度開放政治的民主化」；一如他在台北呼籲「統獨休兵」，一起為台灣的建設努力。他也公開說過：「只要沒有國家認同問題，有一天民進黨執政也沒什麼不可以。」

在兩岸交流活動中，一些情治單位或行政部門動輒以「共黨滲透」「關係複雜」為由，阻止某些大陸人士來訪。郝柏村深不以爲然，他認爲：「他們都不怕我們任何人去訪問大陸，我們有什麼好怕？讓他們的人來台灣，親眼看看我們四十年的成就，對雙方都有好處。」

中國人靠經濟實力揚眉吐氣

郝柏村對中國未來的思考架構十分清晰。他認爲「不要有孤芳自賞與坐井觀天的心態」，影響中國人在二十一世紀的發展。他說：「全球中國人必要以中華民族的持久利益與中華子孫的世代發展爲出發點，作大格局的思考。」在大格局思考中，全球中國人的共同課題應該是：提升民主品質，維持經濟發展的優勢競爭力。

擔任行政院長時，郝柏村私下常說：「我以前很少接觸經濟，但接觸以後，對經濟問題的討論與解決，愈來愈有興趣。」在談話中，他也喜歡說：「中國沒有經濟實力，中國人在世界舞台上，就沒有發言權。」

在兩岸經貿關係上，他傾向支持較具前瞻性的經濟部，對陸委會的保守並不欣賞。在他發表的「二十一世紀中國人揚眉吐氣」的專題演講中，他特別指出：「近年來學者們提出以『經濟中國』的理念，來結合大陸、台灣、港澳的經濟優勢，是值得深思的一條途徑。」

「我個人認爲：大陸不改革，中國沒有希望；兩岸不交流，台灣沒有前途。從台灣觀點來看『經濟中國』，它提供了多種誘因：投資擴大，紓解經濟升級陣痛，生產因素互補，示範改革與長期互利。這些誘因正可以用來提升中國人在二十一世紀經濟發展中的優勢競爭力。」

在多次與外國政要談到中國大陸時，他都體驗到：近十年的經改，和中共不可能走回頭路的前景，給了二千萬台灣的中國人和散居海外的華人，一個空前難得的機會，使大陸轉變。

台灣情、中國心

一位本省籍的工商大老私下曾經説過：「郝院長不是台灣人，但是他比很多人對台灣更有實實在在的貢獻。」

回首近三年高潮迭起的閣揆生涯，他內心深處不時在思考，如果因他辭職而有助於大家不分省籍、不分黨派，共同以深厚的「台灣情」建設台灣；以恢宏的「中國心」轉變大陸。那將是他的另一個貢獻。

81年5月28日接受美國公共電視「火線」主持人巴克萊訪問，澄清對中共的態度。

82年1月30日國大閉幕典禮上，振臂激昂高呼「中華民國萬歲」、「消滅台獨」。

82年2月27日行政院長一職交接，從此跳出政治旋渦。

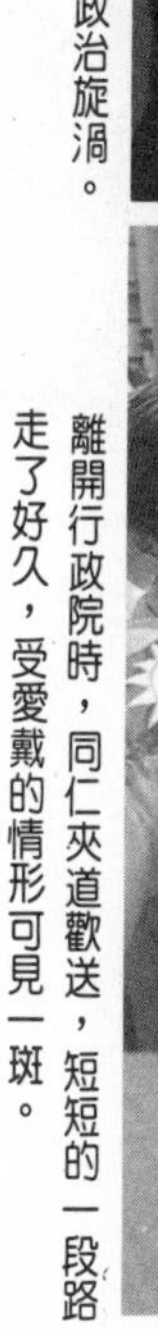

離開行政院時，同仁夾道歡送，短短的一段路走了好久，受愛戴的情形可見一斑。

辭職後的郝柏村，在赴美演講時，受到空前熱烈的歡迎。

第十章

中國人的責任

日記摘述

「十月二日總質詢完了以後，我感覺到當良知泯滅、是非不明、黑白顛倒的時候，就是國家社會大災難來臨的時候。政治的花招不會嚇倒我，多行不義必自斃。我還是強調正派的政治人物不懼耍權術、耍花招。」

「九月十二日上午宋楚瑜來見我，果然提出高層的構想，要我擔任未來黨的副主席，黨成立決策組織。我當時就告訴他，我關心的是黨的改革及黨國存亡的事，不是我個人安置問題，我說『不要弄錯主題』。」

「只要沒有國家認同問題，有一天民進黨執政也沒什麼不可以。」

「他們（指大陸）都不怕我們任何人去訪問大陸，我們有什麼好怕？讓他們的人來台灣，親眼看看我們四十年的成就，對雙方都有好處。」

「近年來學者們提出以『經濟中國』的理念，來結合大陸、台灣、港澳的經濟優勢，是值得深思的一條途徑。」

當前五大問題

在近三年的院長任內，郝柏村幾乎時時刻刻在颱風眼中工作、思考、做決定。一位曾任過部長的人士率直地說：「幸虧他是軍人出身，有臨陣不亂不懼的性格，否則在立法院的亂象中，在國民黨的流派爭鬥中，怎麼能做事？」

在做事過程中，郝院長愈來愈感覺到國家發展的危機，他也不時在與高層會談、答覆質詢和座談會中，表示自己的憂慮。八十一年中央民代選舉前，他經常與黨祕書長宋楚瑜談話二、三小時，表達自己對黨的看法；修憲期間，他多次向總統報告個人對憲政、國家前途的建議。可惜這種憂心，並未得到府裏和黨部的共鳴。

他對國家危機的看法，在一次面對大專院校校長的座談會上說明得最完整。他認爲當前台灣面臨了五大問題：

㈠**國家認同**：台獨只會帶來危險，是一種不切實際的幻想。

㈡**民主改革**：民主化過程中，如果受到金權、派系污染，將是民主化的危機，提升民主品質要從「消除賄選」開始。

㈢**經濟發展**：如果科技無法提升，勞力密集工業又移到大陸，經濟會出現困境。因此六年國建擴大內部需求，提升科技水準，刻不容緩。

㈣行政效率：國會議事效率不彰，新法不易通過，舊法難以修改，造成公權力無法伸張；民間欠缺守法精神，違規行業氾濫；公務員討好心態强，求好心態弱；只有全面提升行政效率，國家發展才能順利。

㈤社會價值：社會上是非不分，價值混亂；不問事實，妄加揣測；甚至財團掌握媒體，操縱輿論。

經濟發展、社會樸實

郝柏村對社會風氣非常關注，他個人崇尚儉樸，提倡便當會報、和王永慶等勤儉的人極爲投緣；喜歡國劇中的傳統忠孝節義故事，鼓勵文化機構推廣古訓春聯，强調教育首重生活教育。

甚至到基層與鄰里長座談，他也坦白指出，推動國建，地方上還有這些心理瓶頸：短視近利、局部與個人利益掛帥、地方主義濃厚、特權作祟、缺少法治觀念、共識與團結精神不夠。

面對這些問題，郝柏村也視它們爲「危機」，相當憂心，其中尤以國家認同、憲政改革與國民黨存亡爲最。

他常舉自己是一位「五十七年黨齡的黨員」，認爲要「救黨」，才能「護憲」，進而「安台保國」。

十三中全會的忠言

對國民黨內部無法形成共識，對國民黨在選舉中得票率屢降，他深以爲憂。因此，卸職前他曾與幾位理念接近的人士誠懇地表達過：「只要對黨有貢獻，不一定要擔任什麼職位，做一名義工也可以。」

早在八十一年三月的國民黨十三居三中全會上，面對黨國大老與主席，郝院長在行政工作報告中的最後一段，公開提出對黨的期望。

「此刻，願以一個黨齡超過半世紀的黨員身分，以感激之心、誠摯之情，坦陳三項心願，」郝柏村以七百字表達救黨之心。

他說：「黨的前途繫於黨員的向心力和使命感。」黨如果缺少向心力强的同志，黨就缺少旺盛的生命力；黨缺少使命感强的同志，黨就缺少歷史的責任感。

他又說：「黨的理念要落實於施政。」理念和施政如果脫節，一切都淪於空談。空談得不到黨員認同，更得不到人民的支持。「每一張選票，就是對執政黨施政表現的判決，」黨的生存是靠黨員同志的參與；黨的發展是靠施政成績。站在行政官員立場，郝柏村認爲，就是「體認主席付託之殷」，要無我無私的把黨的理念轉化成政府的政策。

他更指出：「黨的團結與施政重於一切。」每位黨員要是「團結的符號，不是團結的負號」。黨內難免會有意見不同的同志，「但不能以此相互不容」。

不容才是團結的負號

或許他已看出「不容」是團結的負號，因此愷切指出：「有包容性的黨，就會是一個人才聚合的黨。」他期望黨的榮譽、黨的理念、黨的使命，就是黨內團結與施政的基準。

郝柏村提出這三點願望，他曾思忖再三，是否應該如此坦率，因爲這三個問題赤裸裸地點穿了國民黨的病態：黨員對黨缺乏向心力；黨的理念難以落實施政；黨內缺少團結。

身爲行政院長，他最無法露骨地指出的黨內病源則是：黨內缺少民主。

卸任後，郝柏村才一再公開坦率表達自己對黨的這點憂慮：「民主是和諧的基礎」、「不能爲了和稀泥的和諧，犧牲民主」、「國民黨若不改，最後一定要失敗」。

對於自己是否會做黨的副主席，他也毫不諱言：「給位子的辦法是落伍封建的。」這一句重話，是在國民黨十四全投票應否設立副主席的前一天在報上公開講的。

八十二年六月下旬，「我看國民黨」座談會上，郝柏村有感而發地指出：「國民黨歷次的挫敗，都不是敵人如何强大，而是自己不爭氣。」

當場背頌二分鐘「黨員守則」的郝柏村，引起在場人士一陣掌聲；這個國民黨第五次全會頒定的「黨員守則」，已鮮少有人記得了。

他沉痛地指出：「黨員守則中，沒有一條是爭權奪利、猜忌鬥爭的。」

理想的黨主席

他對國民黨理念的忠誠，使得不少支持者對他寄予更大期望，甚至推擁他在十四全中競選黨主席。這種熱情尤其在他赴海外時達到沸點。

八十二年七月初他赴芝加哥出席國建會，一批不遠千里開車而來的黨代表，即力圖說服郝資政競選黨主席。他婉謝了他們的盛情，卻也使他認真地思考做爲一個黨主席的

條件。

親身參與國民黨近一甲子，從創建黨的大陸轉到發展黨的台灣；在郝柏村的理想中，今天的國民黨主席應具備：

●大公無私，全心投入黨的革新與重建。

●要以民主、開放的領導方式，推展黨務。

●要凝聚共識，推動重要政治理念：

——全力建設台灣，使其成爲三民主義模範省，並做爲未來中國發展的模式。

——匯聚海內外力量，壯大台灣，轉變大陸。

——在一個中國原則下，追求民主、均富與統一的中國。

●黨主席對人事的安排要公平，對黨的財務收支要公開；人才遴選以品德、才能爲最重要標準。

●黨主席任期以一任爲宜，對重大選舉之成敗，應負全責。

救黨、護憲、安台與保國

八十二年七月六日他從美國回到台北，黨內正爲突如其來層峯要設置「當然代表」一事，引起非當權派的軒然大波。他對這種突然改變重大遊戲規則，頗不以爲然，但也深深瞭解一貫的模式又在不斷重演。

面對「大局已定」的十四全，郝資政決定往大處看，往遠處想。他花不少時間與黨內前輩及憲政學者交換意見，嚴肅思考如何改善黨的危機，維護憲法，安定台灣，保衛中華民國。

他認爲，中國國民黨是屬於全體中國人的黨，絕不可用省籍情結來割裂。

在郝柏村閣揆任內，就與前任立委吳梓談國民黨本土化問題，他說：「本土化是要維持政權，是不錯；但是國民黨是中國國民黨，不能變成台灣國民黨。」

他更指出「國民黨的本土化」，是要多爭取本省籍的黨員，來實踐國民黨的三民主義，絕不是把國民黨的組織、理念和發展局限在台灣。

「本土化絕不是台灣化，」他强調，如果黨不以宏遠的理念號召、高尚的黨德互勉，只知道用省籍情結來逼迫，權力運作來操縱，「黨的理念怎能不變質？結構怎能不

變形？」

國民黨建黨以來，主張中華民族內求平等、外爭獨立，實施直接民權、貫徹五權憲法，以及打倒經濟及社會的特權壟斷、謀求社會的正義等，郝柏村認爲「這都是解決我國問題的正確理念與方向」。

因此他始終認爲「黨意與民意應爲一體」。一個有作爲的政黨，應以黨的理念領導民意，形成民意。但是他直率指出：「今天黨的理念愈來愈不受重視，黨的凝聚力也愈來愈趨鬆散，黨德與黨格皆相當程度的被功利取向掩蓋。」

選舉中這種弊端最爲凸顯：黨與金權及社會特權勢力結合；堅持原則、具有理念的黨員反不易獲得提名。因此近年來，黨內多見流派主控，金權與特權配套；黨員的疏離日益嚴重，民意支持逐漸流失。

國民黨改造運動

這種情況，使得有良知的黨員憂心如焚，郝柏村更是感到「救黨」的迫切，他說，現在如果不能徹底反省，仍在功利與流派中打轉，黨意和民意漸行漸遠，「這樣的走勢，豈不連政權都要喪失？」

經過與黨內一些大老和青壯派的密集會商，身爲中常委之一的郝柏村在一篇「十四全之前不宜發表」的文稿中，提出國民黨需要立刻展開一次整體改造運動。改造的重點有五：

㈠加强國民黨建黨歷史及理念的宣導，並鄭重告訴所有黨員建黨最高宗旨是：振興中國，實踐三民主義。不容許有割裂中國及中國人的觀念，也不容許有反對黨理念的言行。要重新嚴格做黨籍總檢查與總登記；凡是不願意接受黨的最高宗旨的，可以退黨，不必參加登記。

㈡要泯除省籍界限，任何以省籍爲訴求的流派都應該解散；凡是用省籍對同志做人身攻擊、打壓、排拒的，都須交黨紀制裁。

㈢重整基層組織，重視社會各階層的發展，並以黨的理念作爲團結的核心。絕不容許任何金權及社會特權，控制黨的組織及活動。

㈣黨內結構必須民主化，黨員完全平等。任何黨的會議，皆應根據民主及平等的原則，由黨員本人直接參與或由票選代表參加，票票等值，沒有任何特權。各級公職候選人提名，也須根據黨員選舉產生，絕不允許特權操縱。嚴禁賄選和其他不當行爲，以改善選風，培養黨德。

㈤黨必須實踐意見、人事、財務、賞罰四大公開。

堅持五權、內閣制

如果說郝柏村對黨的前途關心，那麼他對修憲更關切。

有一回，他在私下場合被問到：「你認爲哪一件事，在府院關係中最傷害你和李總統的關係？」

在他沉思中，一位朋友接著說：「蔣仲苓事件？大陸政策？內閣人事？」

他的回答是：「憲政改革！」

郝柏村認爲憲法是國家大法，不宜輕易或經常修改，例如，他贊成五權憲法、內閣制、總統委任直選，以及行政院長副署權不能削減。這些看法幾乎完全與李登輝的修憲理念相衝突。

應有的權力絕不放棄

八十年十一月五日，立院總質詢中，郝院長答覆立法委員李勝峯時就說：「行政院是有權有責的機關。該負的責任絕不推諉，應有的權力絕不放棄。」

在同一天的質詢中，吳梓委員引述總統接受日本媒體訪問時的話：「本人負責國防、外交、大陸政策，郝院長負責內政」，質詢行政院長的權責。

郝柏村的答覆是：「如果確爲李總統的意思，他應該當面對我說，」接著又說：「吳委員如果以爲這是對的，那麼有關軍事、外交、大陸政策，不必質詢我，也不必問行政院了！」

四個月後，八十一年三月，又在立院總質詢中，他斬釘截鐵答覆張世良委員：「我國現在不是、將來也不應是總統制。」

看到這則新聞，一位頗能瞭解內情的人，立刻打了電話給行政院的一位重要幕僚，玩笑的說：「你趕緊另找工作吧，看樣子，非請你老闆走路不可了。」

事實上，郝柏村之所以如此堅定，是經過嚴密思考，因爲他正準備以同樣態度，在第二天總統召集的修憲討論中提出。這個三月十一日在台北賓館的會談，被郝柏村認爲是我國修憲史上最重要的一次談話。（參閱第六章修憲路崎嶇）

立國大法必須維護

在郝柏村的認知中，當年在南京制定的中華民國憲法，是邀集了全國憲法專家，各黨各派代表，費時十餘年，才完成憲法的制定。

這部憲法最值得稱道的，不僅將五權的基本理念落實在政府的體制，更將國家、政府、人權及公共政策做了相當明確的畫分與規範。

特別是政府體制，在五權分立而相維相制的內閣制設計下，環節相扣，權責分明。政府在行憲後，雖爲了因應動員戡亂時期的需要，也只訂定過數條臨時條款，但仍儘量保持憲法結構的完整。

精研憲法的學者，如胡佛教授等，就一再公開指出：內閣制無論在民主及政治穩定方面，皆優於總統制；而五權的分立與相維相制，在權責上能畫分對事與對人二者，更勝於三權。

他們認爲在南京制定的憲法，在一個中國的原則下當然可適用於全國，包括台灣。惟一須增修的，只是統一前在台選舉中央民意代表的名額與方法，以及地方自治的法源。

令郝柏村訝異的是，在國民黨內，也有一些人提出憲改的構想，若干內容，如擴大總統的權力、總統直選、廢除監察和考試兩院等，「簡直與民進黨的制憲主張，如桴鼓相應」。

憲政結構處於不安

他對二次修憲，不僅未回歸憲法，且改變五權的結構，擴張總統及國民大會的權力，總統選舉方式未定，「這樣的修憲完全打亂五權分立的內閣制；尤其是總統具有決定國家安全大政方針的權，卻不須向立法院負責，」已明顯違反民主制度下權責相當的原則。

郝柏村對憲政結構已處在極不安定的狀態，非常憂心，因此，在卸職後致力研究與思考如何「護憲」。他結合一些憲法學者專家，討論護憲方向，得到四點結論：

㈠強調中華民國憲法與中華民國不可分，而中華民國與中國不可分。因此任何廢憲、制憲的言行，如用意在改變國號，割裂中國，皆是對國家的不忠誠與背棄，絕對不是一種單純的憲法上問題。

㈡我國憲法所規範的五權制衡、內閣體制、憲法對人權的直接保障，以及民生主義的經濟及社會政策，皆極具優越性，必須全面規畫憲法教育。

㈢維護憲法結構的完整，回歸憲法五權相維相制的內閣制。任何對這一體制的破壞，必會造成政府權責的混亂與失衡，而影響到民主政治的發展。憲政體制是千秋萬世的，決不可因人立法，因人修憲。

㈣二次憲改已違離我國憲法的基本理念，並導致五權制衡的內閣制扞格難行。因此，反對權責不清的所謂雙首長制，也不贊成不斷擴增總統的權力，走上總統制，甚至有權無責的專權制。憲法所規範的政府基本體制是所謂的憲章，不可作爲修定的對象，否則即屬制憲。中華民國的國號、國旗，是國體的表徵，憲章的核心，不屬於修憲的範圍，否則即爲毀憲。

中國人對中華民國有責任

救黨與護憲的最終目的是在安台保國——使中華民國繼續屹立於世。

郝柏村認爲，我們一定要鄭重向全世界宣示：中華民國立國八十多年來，外抗西方及日本侵略，廢除歷史上的不平等條約，内除軍閥，清剿共產主義。在台灣的建設，也成爲經濟發展史上的奇蹟。「我們中國人應以中華民國爲榮，決不坐視任何人侮辱和『終結』中華民國」。

他强調中華民國是屬於全體中國人的，它傳承三千多年來的中國歷史與文化，所以「必求中國的統一、民主與富强」。

中國歷經百餘年來的外侮，因此統一中國和建設中國，是全體中國人無上的道德與民族尊嚴。「我們要堅決反對台獨的分裂國土，也反對在大陸實施共產主義；中國統一是中國人的歷史使命，也是各自分内的事。」

國民黨、憲法、中華民國

由於這一歷史使命與無上道德感，他呼籲大家「積極推動大陸的和平轉變，」他說：「今天台灣的問題，不能無視大陸而單獨解決，消極逃避也會使問題更惡化。」「只有緊密結合全世界華人力量，來保衛中華民國、反對台獨；成立華人經濟文化圈，促使大陸現代化。」

國民黨、憲法、中華民國，三個難以分割的執政與主權的象徵，在今天的台灣，不僅受到了民進黨的嚴厲挑戰，也受到國民黨內部一些人的質疑。

從愛護國民黨的人來看，這不僅是國民黨的危機，也是改革空前的危機。郝柏村希望透過改造運動——「救黨、護憲、安台、保國」，可以使危機變成轉機。

以今天國民黨中央的作風以及自信，是否能產生化危機爲轉機的自覺。時間將能證明。

另一個開始

出生於耕讀之家，成長於戰亂之中，一生任職於黨國的郝柏村，第一要做一個有尊嚴的中國人；第二要做憲法的維護者；第三要做一個盡責的國民黨員。

經國先生去世不到六年，他絕沒有想到，在台灣已經變成小康，大陸共產制度已臨解體之際，聽到要建立「台灣共和國」的呼聲，也聽到「憲法不適用於台灣」的責難，更聽到「國民黨要本土化」的指示。

郝柏村的政治之旅已經畫上句點，他的「救黨、護憲、安台、保國」的理想卻正開始。

附錄

行政院長任內大事年表

民國79年6月1日	就任行政院長。
79年6月5日	召開第一次治安會報。
79年6月7日	指示經建會主委郭婉容，配合李總統六年任期儘速擬定六年經建計畫。
79年6月14日	裁定全民健康保險於八十三年起實施。
79年7月7日	「陸海空聯合查緝走私督導會報」成立。
79年7月27日	首度提出「六年國建」構想。
79年8月4日	指示人事行政局將高低階公務員薪資差距提高爲五倍。
79年8月20日	治安會報議決理容院、三溫暖等九種行業，營業時間不得超過凌晨三點。
79年8月22日	調查局偵辦鴻源機構違法吸金案。

79年8月27日	在行政院擴大動員月會，召集中央、台北市科長級以上公務員講話。
79年9月7日	第一次「全國治安會議」在台北舉行。
79年9月12日	兩岸紅十字會簽署「金門協議」。
79年9月13日	郝院長夜宿高雄後勁。
79年9月22日	五輕宣布動工。
79年10月1日	成立「公共工程督導會報」。
79年10月7日	國統會成立。 民進黨通過「我國事實主權不及於中國大陸及外蒙古」決議。
79年10月17日	勞基法八十四條修正案表決結果贊成行政院覆議。
79年11月8日	全國文化會議揭幕。

79年11月18日	郝院長指示人事行政局，在考績制度中增列强制資遣、勒令退休規定。
79年12月3日	黨政高層協商會議開始運作。
80年1月30日	行政院大陸委員會成立。
80年1月31日	行政院院會通過「國家建設六年計畫」。
80年2月26日	郝院長在立法院施政總質詢時，率全體閣員退席。
80年3月8日	「三保警案」發生。
80年3月9日	海峽交流基金會成立。
80年4月22日	國大臨時會完成憲法增修條文及廢止動員戡亂時期臨時條款。
80年4月28日	海基會祕書長陳長文首次率團訪問北京。
80年5月1日	動員戡亂時期宣告終止。

80年5月9日	調查局宣布偵破「獨台會」案。
80年5月23日	郝院長指示政務委員張劍寒召集成立「行政院法規檢討委員會」。
80年5月27日	指示政務委員吳伯雄成立「當前重要土地問題專案小組」。
80年5月30日	在治安會報中指示重新研究土地分區使用規定。
80年6月23日	全國金融會議開幕。
80年6月27日	指示財政部對於部分甫獲核准設立的新銀行發起人，若有移轉股權、牟取暴利的不當行爲，應立刻依法處置；違法情節重大者應撤銷銀行許可。
80年6月30日	立委葉菊蘭質詢郝院長召開「軍事會議」。
80年7月10日	日本讀賣新聞報導，自民黨正和日本政府協調安排李總統訪日。
80年7月21日	「閩獅漁案」發生。

80年8月3日	台塑宣布六輕在雲林麥寮設廠。
80年8月15日	國民黨第二階段憲改小組成立。
80年8月17日	財政部和內政部決定修改「平均地權條例」，大幅變更土地增值稅課徵方式。
80年9月2日	教育部決定大學教育將採「入學從寬、畢業從嚴」原則。
80年9月11日	財政部決定以土地面積爲核課標準，針對一定面積以上土地交易課徵土地交易所得稅。
80年9月27日	法國政府表示同意售我十六艘拉法葉巡防艦。
80年10月1日	行政院宣布成立刑法一百條研修小組。
80年10月13日	民進黨通過「台獨黨綱」。
80年11月3日	海基會赴北京商談兩岸共同防制犯罪程序性問題。

80年11月12日	正式加入亞太經濟合作會議（APEC）。
80年11月20日	李總統任命劉和謙爲參謀總長。
80年12月21日	二居國大選舉國民黨大勝。
81年1月4日	外交部次長章孝嚴訪問獨立國協。
81年2月20日	行政院通過核四重新動工案。
81年3月7日	全國經濟會議揭幕。
81年3月14日	三中全會爆發總統直選與委選之爭。
81年4月10日	府院黨五首長成立決策小組。
81年4月17日	行政院同意在六年內興建十七萬戶住宅。
81年5月6日	國民黨中常會通過憲法增修九條文。
81年5月18日	刑法一百條修正案正式生效。

81年5月27日	國大臨時會三讀通過修憲案。
81年6月3日	立法院通過核四預算解凍案。
81年7月25日	行政院核定將投資一〇九億，使大高雄地區飲水符合標準。
81年8月5日	國民黨中常會部分中常委批評，土地買賣按實價課稅將擾亂經濟秩序、打擊投資意願。
81年8月20日	指示王昭明祕書長召集「財經會報」。
81年8月24日	中韓斷交。
81年8月30日	英國前首長柴契爾夫人來訪。
81年9月2日	美國宣布售我一五〇架F—16戰機。
81年9月10日	指示省府及農委會徹底解決地層下陷問題。
81年9月16日	雷伯龍巨款違約交割案爆發。

81年9月29日	我國以觀察員身分重返GATT。
81年10月2日	七一八位學者連署支持財政部長王建煊。
81年10月4日	李總統宴請二屆國代時指出，按實價課徵土地增值稅可行性有問題。
81年10月7日	財政部長王建煊辭職。
81年12月19日	二屆立委選舉國民黨遭遇重挫。
82年1月7日	郝院長公開宣示將實施農民年金制度。
82年1月13日	海基會祕書長陳榮傑請辭。
82年1月30日	發表聲明決定不續任行政院長。
82年2月3日	執政黨中常會討論內閣總辭案。
82年2月27日	郝院長卸任閣揆。

GB037
時代七十年
姜敬寬 著
●定價二五〇元

七十年前，兩名二十餘歲的青年，以獨到的眼光、創新的手法，讓第一份新聞雜誌「時代」，呈現在讀者眼前，更奠定了「時代華納」超級傳播王國的基礎。

一份小小的新聞週刊，如何逐步拓展其全球影響力？它獨特的文字風格如何形成？一篇文章要經過多少查證手續？而在電子媒體步步進逼，其他競爭對手環伺的情況下，「時代」何去何從？

本書作者在「時代」工作三十年，提供了親身體驗的答案。正如他於書中所言：在「時代」七十年的演變過程中，最基本的宗旨便是作爲反映社會和時代的一面鏡子。因此追溯「時代」的演變，也等於回顧歷史。二十世紀的政治、經濟和文化，都可以在這面鏡子中，找到發展的軌跡。

GB033
尋找心中那把尺
熊秉元 著
●定價二二〇元

作者是一位在學院任教的經濟學者，但他所關懷的層面並不限於學術，而是台灣整個社會。本書是從經濟學的角度，觀察分析各種社會現象，幫助讀者了解社會科學的豐富內涵：社會價值是怎麼形成的？「個人的好惡」如何轉換成「整個社會的好惡」？

作者擅長以生活中的具體發現或故事爲起點，展開一連串的思辨與觀念分析：包括對人性的省思、闡釋羣己之間的問題、探討制度的性質、思索變遷的原因和過程等等，全書共九十三篇，篇篇深入淺出、趣味盎然，而每個議題都未提出定論，留待讀者深思。

GB031
第四勢力
張作錦 著
●定價三〇〇元

新聞事業是一項挑戰性的事業。新聞事業不僅是推動社會進步的原動力；亦間接影響人們的行爲與價值觀。因此一般民主國家在行政、立法和司法之外稱爲「第四勢力」或「第四權」的，就是——新聞事業。

近幾年來，國內政治熱潮不斷，而政治理念的混亂和政治行爲的低俗，已成爲新聞事業的經營及從業人員最大的挑戰。聯合晚報社長張作錦先生在本書中，縷析媒體應堅守的立場，探討媒體應有的作爲努力；更針對政局亂象，提出剴切的批評與諍言。

作者觀察敏銳、文筆犀利。「第四勢力」，是關懷政局與新聞事業的讀者必讀的好書。

GB030

美麗共生

──使用地球者付費

凱恩格絲 著 徐炳勳 譯

●定價二二〇元

如果世界人口、工業化、污染、資源枯竭，仍以目前的成長趨勢，繼續發展，那麼未來世界將會是什麼樣的面貌？環境主義者的答案是悲觀的。由於不願意留給子孫一片「受傷害」的土地，近幾年來，環保運動方興未艾；但是也因爲激進環保分子敵視經濟成長的態度，使得環保運動走進了死胡同。無可否認的，在環保與經濟成長之間，大多數國家的多數民衆，仍願意選擇後者。因爲許多人都認爲，只要顧及環境保育，就一定會犧牲生活品質。

本書就是一本從經濟學角度來看環境保護的絕妙好書。作者認爲世上沒有平白享受的東西，包括大氣、水、自然資源……等，都是有價的。由這個觀念衍生，書中不但討

GB028

智慧新憲章

──著作權與現代生活

理律法律事務所 著

●定價二五〇元

中國人的法，永遠在情、理之後，然隨著國際社會關係日趨密切，再也不能無視全球共通的遊戲規則。正如理律法律事務所執行合夥人陳長文在本書的序文中所說：「好禮必須知禮，著作權是西方的禮節，翩然降臨中國的社會，國人必須加以認識、了解。」著作權法牽涉的層面廣泛，舉凡科技發展、學術教育、文化出版、新聞傳播、演藝娛樂、勞資關係……都與著作權法緊緊相連。

本書由國內知名的理律法律事務所的專業律師共同執筆，完全不同於傳統法律書籍的冷僻艱深，以簡單淺顯的筆調，信手拈來的實例，爲讀者解說新著作權法與現代生活的關係，讀完此書，您可以輕輕鬆鬆修完著作權法──這門現代人的必修課。

GB027

大格局

高希均 著

●定價二二〇元

擁有大格局思考的人，不只想到自己，也想到別人；不只要幫助自己的社會，也要幫助改善別人的國家；不只要改善這一代的百姓，也要改善下一代的子孫。

經濟學家高希均教授，以其一貫「冷靜的腦、熱切的心」，觀察台灣近幾年來的種種現象，提出語重心長的呼籲──讓我們以「大格局」的思路，來建構現代化的觀念；讓我們以「大格局」的眼光，來重新省思「財富」的真諦；讓我們以「大格局」的胸懷，來認真看待「中國」的前途；讓我們以「大格局」的氣度，來師法一些頂天立地的傑出人物。這些誠懇的呼籲結集成本書，從「觀念篇」、「經濟篇」、「兩岸篇」、「人物篇」的不同範疇，殊途同歸的引領讀者向「大格局」邁進。

全方位思考系列

GB016

混沌

——不測風雲的背後

葛雷易克 著 林和 譯

●定價二二〇元

大氣預報爲什麼不準?鐘擺一定會規律的擺動?海岸線到底有多長?這些以往令人百思不得其解的問題,在「混沌理論」出現後,都有了答案。

所謂「混沌」,是指所有事物會呈現超乎想像的繁複多樣,只要有些微的條件差異,就會有不同的結果。這種正在蓬勃發展的理論,給全世界自然科學及人文社會科學學界帶來巨大的衝擊,創造了嶄新的思考方式,讓人們對自然現象、社會發展及個人生命的眼光,都賦予了新的意義。

本書作者以科技記者的專業素養,深入淺出的記錄了混沌理論的發展過程,可以說是一部情文並茂的報導文學。科學家超越常人的敏銳、執著和創造力,以及追尋真理的失落和歡欣,都透過作者鮮活的文筆,一一呈現。

GB017

居禮夫人

——寂寞而驕傲的一生

紀荷 著 尹萍 譯

●定價二二〇元

愛因斯坦說,居禮夫人是「本世紀惟一未受盛名腐化的人」。是什麼樣的原因,讓這位本世紀最富盛名的女子不致腐化?當然是因爲她是女子——這解釋也許太簡略,卻恐怕是正確的。

透過作者獨特的觀點、譯者洗鍊的筆觸,勾勒出居禮夫人截然不同的風貌:她會生氣、有趣味,讓人心醉神迷;在輝煌的科學桂冠之外的她,面臨物質環境的匱乏、緋聞、居禮先生的意外死亡以及外界對「女性科學家」角色的懷疑,卻都能從殘存的驕傲裏找到力量,而在寂寞的心靈深處,讀者看到的是一位尊貴女性對科學研究終生不渝的堅持、無私與熱情。

「真實的人生比小說更曲折」,正是居禮夫人一生最佳的寫照。

GB026

大滅絕

——尋找一個消失的年代

許靖華 著 任克 譯

●定價二五〇元

在六千五百萬年前,恐龍滅絕了!自小我們就相信這是因爲「物競天擇,適者生存」的結果,我們也深信只有哺乳類動物才是生存的適者。有誰敢向達爾文進化論挑戰?但華裔地質學家許靖華教授提出:「根本沒有生存競爭這回事,更沒有保存優秀種族的自然選擇。」許教授曾經獲得相當於地質界諾貝爾獎的烏諾史東獎,在古生物研究及地質研究方面極具國際聲望。在「大滅絕」這部書中,許教授把追查「謀殺」恐龍元凶的過程以及造成大規模滅絕的原因,寫成一部偵察故事。作者運用歷史分析的方法,探究到底是生存條件的爭奪還是天災意外造成恐龍滅絕?若是天災造成恐龍大滅絕,其他生物又如何能倖存?倖存的一定是適者嗎?還是只是個幸運兒?

作者有條不紊的帶著讀者參與整個探索過程。並引領讀者去思考人類信仰「物競天擇」理論時,付出了什麼代價?在全球共存共榮的現代,又該如何放下武裝爭鬥,爲全人類棲息之地付出完全的關懷?

GB029

柏拉圖的天空

——近代科學大師羣像

瑞吉斯 著　邱顯正 譯

●定價二五〇元

美國普林斯頓高等研究院可以說是二十世紀科學家的殿堂，幾乎所有優秀的物理學家和數學家都曾經進入這裏。事實證明，他們在科學領域均曾提出革命性的見解。

本書是高等研究院科學家的羣傳，幾乎涵蓋了二十世紀頂尖科學家，如物理學家愛因斯坦、數學家歌德爾、電腦奇才馮紐曼、歐本海默、戴森、孔恩、楊振寧、李政道等等，其中不乏諾貝爾獎的得主。作者文筆靈動、情感豐富，帶領讀者一步步認識近代一流科學家的多樣面貌，同時，能隨著智者心靈逐漸解開宇宙的奧祕。

作者對人、事、物的描寫風格獨具，常能巧妙的融合感性、知性，例如描寫愛因斯坦：「看到愛氏淩亂的桌面，…散發出一股宇宙大業未竟全功的遺憾！」書中類似這般生動的片段不知凡幾，讀者可以透過輕鬆的閱讀，掌握近代科學家的羣像、了解近代科學的發展概況。

GB021

理性之夢

——這世界屬於會作夢的人

裴傑斯 著　牟中原、梁仲賢 譯

●定價二二〇元

我們正站在人類精神冒險的分水嶺上——知識的新綜合體、人文藝術與科學的整合、對人類心理的深入掌握，這些都令人拭目以待。掌握這種趨勢的人民或國家，將在下個世紀享有領導地位。

作者行文流暢、思想澎湃，對未來的世界提出卓越的洞識，書中談論範圍十分廣闊，包括：模擬真實世界、造物主的造物密碼、等待救世主、錯以腦爲心的人、從不說謊的軀體、電腦與複雜性科學的革命性大結合……等。本書出版以來，迭獲紐約時報、出版家週刊、洛杉磯時報、國家雜誌等著名報刊佳評，被視爲開啓新世界之窗不可或缺的重要著作之一。

GB032

古海荒漠

——科學史上大發現

許靖華 著　朱文煥 譯

●定價二二〇元

今天，大家都曉得在遠古的冰河時期，歐洲大陸曾經被埋壓在厚厚的冰層之下。可是，也許很少人知道，位於歐洲與北非之間的地中海，在幾百萬年之前竟然是一片乾枯的沙漠！

一九七〇年代，許靖華教授和他的研究夥伴雷恩博士，利用「格洛瑪．挑戰者號」深海鑽探船，在地中海的不同地點鑽探取樣，決心解開地中海之謎。當許靖華教授坐在船艙內，等待機器把岩心樣本從海底挖上來的時候，他決定要寫書來記述地中海之行，結果就是這本「古海荒漠」。不過，除了描述這個科學史上的大發現之外，他更想傳達的，是船上工作人員患難與共的友愛、犧牲以及責任感。

在「大滅絕」一書中，許靖華教授曾經告訴我們恐龍滅絕之謎。現在，這位地質學的福爾摩斯再度領隊，帶領我們一探地中海之謎！

CB101

企業大轉型

——資訊科技時代的競爭優勢

凱恩 著　徐炳勳 譯

●定價二五〇元

如何在競爭激烈的市場中獲取利潤？如何在變化快速的環境中生存發展？是現代企業共同面臨的難題。國內有前瞻性的企業也了解到傳統管理已不符時代需求，「資訊科技」正是突破困局的根本辦法；可惜，大多數企業經營者以爲，迎接資訊時代的方法只是以電腦代替人工，事實上，資訊科技帶來的改變不僅是行政處理系統，更是企業結構的重組。

本書作者是哈佛、MIT等著名大學教授，也曾擔任跨國企業顧問，理論與實務兼顧，對如何運用「資訊科技」改善企業體質、重組企業結構、再塑成功企業有極具建設性的方案，特別是有關如何改組經營結構、如何重組產業、如何整合上下游業者、如何對決策層施行再教育等部分，對亟欲改革重建、創造契機的企業體，有全新的啓發。

CB100

創世紀

保羅・甘迺迪 著　顧淑馨 譯

●定價三二〇元

人類的歷史總是受到三種動力的影響：人口的增長和遷徙、自然環境的限制和機會，以及新科技的突破。在二十一世紀，這三種動力將如何左右人類的前途？人類又面臨哪些挑戰？全球各地區或國家各該如何準備，以迎接新世紀的來臨？世界知名的歷史學家保羅・甘迺迪在本書中對這些問題一一深入分析，不但深具學術智慧，見解亦發人深省。

在二十一世紀，人類究竟會走上毀滅的道路抑或再創黃金時代？選擇權就在我們自己手上。而我們怎麼選擇，就說明了人類是怎樣的一種生物！

CB099

跳躍的靈魂

——「美體小舖」安妮塔傳奇

安妮塔・羅迪克 著　黃孝如 譯

●定價二八〇元

丈夫離家，兩個幼女嗷嗷待哺，安妮塔想到開一家小店，只爲了養活她們母女三人。孰料這個小店在十七年的費心經營後，成爲分布全球四十二個國家，共開設九百多家分店的跨國性企業。她究竟如何做到？

「跳躍的靈魂——『美體小舖』安妮塔傳奇」是英國美體小舖創辦人安妮塔・羅迪克，以自白的方式寫成的傳記。書中除了追溯她的成長經驗，對於她如何以「獨特」的方式經營企業，有精采而詳盡的描述。安妮塔的「獨特」，不在於利潤，在於她深信企業除了賺錢，應保持原則，不必喪失靈魂。她落實而積極的投入環保、人權等社會運動，並幫助第三世界人民擁有謀生能力。

從安妮塔身上，讀者看到的不只是成功的企業典範，她那自由、熱情、勇敢、前衛的人格特質，將帶給您極大的震撼。

天下文化　新書推薦

CB098

追求卓越(最新修訂版)

畢德士、華特曼 著　天下編譯

●定價二二〇元

商業掛帥的大潮流中，「企業」是維繫社會生存、推動人類多元經濟發展的主角。到底企業該如何經營管理，才能永續發展屹立不墜？方法和招術可說是五花八門、難以盡數，不僅管理上的理論推陳出新，戰略上更是琳琅滿目，無奇不有；但追根究柢，成功的原則仍然有跡可循。

本書所提供的管理八大原則，正是兩位學者抽絲剝繭、苦心研究，從六十二家企業經營的模範樣本中萃取出來的。它强調：以價值觀統馭公司上下，使全體員工一致認同並身體力行。管理上著重採取行動、充分授權、重視員工、精簡組織、寬嚴並濟；策略上則顧客至上，謹守內行，不盲目投資其他事業。這些原則貌不驚人，但卻是企業經營歷久不衰的不二法門。

CB096

經營顧客心

懷特利 著　董更生 譯

●定價二四〇元

「顧客至上」並不只是一句口號！在瞬息萬變、競爭激烈的時代裏，賣方市場所占的優勢地位，已成明日黃花。在「買方才是老大」的前提下，企業界惟有兼顧產品和服務品質，並落實於行動中，才能掌握競爭優勢，贏得顧客的青睞。

作者在本書中指出，經營理念、服務至上、他山之石、以客爲重、勇於創新、嚴格考核和以身作則，這七大原則，乃是企業成功的基礎。善於經營顧客心，讓其需求與企業的成長，產生良性的互動關係，才能提升企業經營的深度與廣度。

書中不僅闡述如何提升產品品質和服務品質，更深入分析如何運用有效的方法和領導技巧，讓員工體悟服務至上的精髓，更能身體力行。全書結合理論與實戰，有助於企業或個人即學即用，隨時滿足顧客的需求，讓「顧客服務」成爲競爭的優勢。

　全書結構謹嚴，脈絡清楚，每章末附有「行動綱領」，幫助讀者自我檢視、解決問題。

CB095

吳舜文傳

溫曼英 著

●定價三二〇元

掌控二十三家公司的裕隆企業集團領導人吳舜文，是中國惟一橫跨紡織、汽車工業的女性工業家；也是教育家，她創辦新埔工專，任職東吳、政大……春風化雨二十餘年。

「吳舜文傳」作者溫曼英，擁有十五年的新聞採訪歷練，採訪領域橫跨財經、社會。爲了撰寫本書，她整整花了兩年時間和吳舜文固定會面相敍，並閱讀大量剪報資料；甚至飛到大陸彼岸，採訪相關人士，追尋吳舜文八十載的生活真貌。透過作者銳利而帶感情的筆，讀者將能細細領悟，吳舜文如何轉換多種角色、如何克服人生不同挑戰的處世哲學。

CB094

綠色企業

——永續經營新趨勢

戴維斯 著　宋偉航 譯

●定價二二〇元

本書從環保精神中，導出企業追求永續生命的新趨勢。對現代企業領袖或經理人而言，他們最大的挑戰有二：一是如何爲企業奠下百年根基，永續發展下去；二是全球環保意識的高漲，使得企業人士必須兼顧自體的發展和外在環境的維護、改善。這都意味著企業經營的理念必須改弦更張——由以貨幣爲目標的「消費取向」，轉變爲以人爲中心的「保育取向」。

作者以畢生的智慧與經驗，淬鍊出「以人爲尊」的經營哲學。墨守成規的管理組織與管理模式，早已不敷時代所需。企業必須採取新的管理方式，才能在瞬息萬變的環境中，脫穎而出這些新的經營理念，包括靈活的工作組織、協力合作的管理風格、公平的所有制、恰如其分的經營規模、系統化的技術要求、耐久的品質、共存共榮的遊戲規則等。

CB093

無限影響力

——公關的藝術

狄倫施耐德 著　賈士蘅 譯

●定價二五〇元

在轉變快速的今天，單靠管理知識已不足以應付管理的工作了。決定成敗的訣竅，在於是否能夠發揮影響力。本書要討論的，就是如何在各種機構、市場或媒體等各個層面中營造以及發揮影響力，化危機爲轉機。

本書作者狄倫施耐德曾經在希爾諾頓——全球規模最大的公關顧問公司——工作了二十五年，當過希爾諾頓的總裁兼董事長。期間每十家「財星五百」公司中就有四家接受過希爾諾頓的諮詢及協助；接受過他顧問服務的主管更是不計其數。「無限影響力」已被翻譯爲德文、西班牙文、義大利文及日文等版本。

「哈佛學不到的經營策略」及「哈佛仍然學不到的經營策略」作者麥考梅克評道：

「無論對已經坐擁權力的主管或者冀望發揮影響力的人而言，『無限影響力』都是一本寶貴的指南。」

CB092

超國界奇兵

蓋伊、麥塔克 著　李淑嫻 譯

●定價二〇〇元

在國際往來日益頻繁的今天，有愈來愈多人需要和各國人接觸、共事、作生意或作學術交流，而在相處的過程中，最需要掌握的就是「溝通技巧」。本書就是針對有處理國際事務機會的企業、管理者及個人而寫。

書中特別著重如何與外國人作面對面的溝通，將溝通過程分成數個清楚的層次，再針對每個層次深入說明。作者認爲民族文化、公司形態與個人性格特質是影響溝通成敗三大重要基本因素，惟有充分掌握這三大要素，再有效拿捏時間、環境、技巧的分寸，就能成爲無往不利的超國界奇兵。

全書段落簡明，運用問題與習題幫助讀者進入主題。

BA006

台灣2000年

蕭新煌、蔣本基、劉小如、朱雲鵬　著

●定價三二〇元

七年之後，二十一世紀即將到臨。四十多年來，集中力量發展經濟，嚴重破壞了台灣環境及民衆生活品質；這塊土地未來形貌如何，你我都是關鍵力量——是推動重建的助力，還是繼續惡化的幫兇？

具遠見而憂心忡忡的民間學者，基於對台灣的關懷，凝聚出一股誠摯而前瞻的聲音。在亞洲協會等單位贊助下，社會學家蕭新煌、環境工程專家蔣本基、生態保育專家劉小如、經濟學家朱雲鵬，分別帶領社會、環境污染、自然資源及經濟四個研究小組，結合二十三位國內、外專業人士，對台灣目前的生態環境體系作了總清查，再依此檢討現有政策、未來規畫，進而依據整合架構，分別針對台灣環境前途、經濟發展方向和人民福祉三方面，提出具體的政策建議，其中更包括對「國建六年計畫」的評析。

本書可以說是台灣環境品質最完整的現況呈現，也是真正兼顧經濟發展與環境保育的前瞻性規畫，是爲台灣前途掌舵的決策者與關心子孫福祉的每一個人，不可不讀的經典好書。

BA005

新政府運動

歐斯本、蓋伯勒　著　劉毓玲　譯

●定價三〇〇元

中國人民理想中的「大有爲」政府似乎隨著變化急劇的時代腳步，愈來愈不可及！而面對愈來愈熾熱偏激的政治清勢，政府和人民一樣，需要有全新的方法幫助政府進步，也保障民衆的生存權益。本書就是針對這個時代需求而寫，只要關心自己的生活品質、關心家庭社區、關心社會大衆、關心政府的現代人，絕不可錯過。

作者歐斯本曾任美國許多州政府、地區政府顧問，對政府企業化運動頗有心得。他認爲政府應該解構後再重造，運用全新的思考方式和經營體制，讓政府像一個生意盎然的企業體一樣——效率好、產能高。

書中提出的十種原則及作法，並非空中樓閣，在歐美已有成效，包括：百姓自行建設城市、推行社區導向的警政、垃圾處理交予民間、公共服務開放民營等，而在政府企業化的過程中，人民有權力扮演監督者甚至參與者，使原本抗爭對立的兩方，能建立共享共榮的共識，爲國家社會長遠利益攜手並進。

BK001

跳出思路的陷阱

葛登能　著　薛美珍　譯

●定價一五〇元

黏在牆上的牌子寫著：「萬一這個牌子掉落，請通知本人。」類似這種啼笑皆非的矛盾，生活中處處可見。這種矛盾都是因爲在邏輯推理上掉入了陷阱而不自知。本書作者以趣味化的漫畫和分析，將專業的知識，透過通俗、有趣的文字，點出種種矛盾之所以形成的前因後果，讓您茅塞頓開，打通思路上的任督二脈；並且說明數學家從矛盾中獲得的啓發，以及因而導出的新觀念。

書中一共提及邏輯、數字、幾何學、機率、統計和時間等六類的矛盾，這裏所指的矛盾是指與常識或直覺相反、令人訝異的結果。因此本書有極高趣味效果，不僅讓您在看後會心一笑，說不定還會點亮了您思路上的創意！

1994年元月

天下人知識系列		作者	譯者	定價	備註
BK001	跳出思路的陷阱	葛登能	薛美珍	150	
BK002	帝王學	山本七平	周君銓	150	
BK003	如何看財務報表	波席爾	王修本	150	
BK1002	創意人—創意思考的自我訓練	詹宏志		140	
BK2002	進入廣告天地	紀文鳳		140	
BK2003	輕輕鬆鬆學經濟	普爾　等	陳文苓	140	
BK2006	深入淺出談政治	彭懷恩		140	
BK2009	理財有道	蔡其勇		140	
BK2010	城市人—城市空間的感覺、符號和解釋	詹宏志		140	
BK3001	風格領導	藍迪	李宛蓉	140	
BK3002	時間企畫	梅爾	林幸蓉	140	
BK3004	個人公關	蘿安	李淑嫻	140	
BK3005	管理金鑰	崔西	黃美姝	140	
BK3006	用筆溝通	杜梅	王偉民	140	
BK3007	說上顛峯	奧斯本	徐曉慧	140	
BK3008	飛越競爭	徐木蘭		140	

天下經典系列		作者	譯者	定價	備註
BA002	自由經濟的魅力	李甫基	馬凱　等	320	
BA003	台灣經驗四十年	高希均、李誠編		400	
BA004	新領導力	葛德納	譚家瑜	300	
BA005	新政府運動	歐斯本　等	劉毓玲	300	
BA006	台灣二〇〇〇年	蕭新煌　等		320	

知識的世界		作者	譯者	定價	備註
BW005x	經濟學的世界—經濟觀念與現實問題：上篇(精裝本)	高希均		600	
BW005y	經濟學的世界—經濟觀念與現實問題：上篇(平裝本)	高希均		500	
BW006x	經濟學的世界—總體與個體理論導引：下篇(精裝本)	高希均		500	
BW006y	經濟學的世界—總體與個體理論導引：下篇(平裝本)	高希均		400	

社會人文系列		作者	譯者	定價	備註
GB001	我們正在寫歷史——方勵之自選集	方勵之		200	
GB003	對有權人說實話	高希均		200	
GB006	我要採訪人生—蕭乾選集	蕭乾		200	
GB007	請問，總統先生—遠見人物訪談	王力行		200	
GB009	蕭乾與文潔若（上、下册）	文潔若		400	
GB010	追求活的尊嚴—現代觀念的激盪	高希均		220	
GB012	追尋生命力的人	溫曼英		200	
GB013	尋找台灣生命力	小野		200	
GB014	風雨江山—許倬雲的天下事	許倬雲		220	
GB016	混沌—不測風雲的背後	葛雷易克	林　和	220	
GB017	居禮夫人—寂寞而驕傲的一生	紀荷	尹　萍	220	
GB020	你管別人怎麼想	費曼	尹萍　等	220	
GB021	理性之夢—這世界屬於會做夢的人	裴傑斯	牟中原　等	220	
GB022	沙卡洛夫回憶錄(上)—氫彈之父(1921-1967)	沙卡洛夫	牟中原　等	250	
GB023	沙卡洛夫回憶錄(下)—人權鬥士(1968-1989)	沙卡洛夫	牟中原　等	250	
GB025	愛與執着—尋找遠見的年代	王力行		200	
GB026	大滅絕—尋找一個消失的年代	許靖華	任克	250	
GB027	大格局	高希均		220	
GB028	智慧新憲章—著作權與現代生活	理律法律事務所		250	
GB029	柏拉圖的天空—近代科學大師羣像	瑞吉思	邱顯正	280	
GB030	美麗共生—使用地球者付費	凱恩格斯	徐炳勳	220	
GB031	第四勢力	張作錦		300	
GB032	古海荒漠	許靖華	朱文煥	220	
GB033	尋找心中那把尺	熊秉元		220	
GB034	和平革命	朱高正		220	
GB035	新社會—邁向公平正義	朱高正		200	
GB036	再造傳統——個知識份子的人文關懷	朱高正		220	
GB037	時代七十年	姜敬寬		250	
GB038	宇宙波瀾	戴森	邱顯正	280	
GB039	別鬧了，費曼先生	費曼	吳程遠	280	
GB040	無愧—郝柏村的政治之旅	王力行著		360	
GB041	全方位的無限(合訂本)	戴森	李篤中	280	

1994年元月

	心理勵志系列	作者	譯者	定價	備註
BP001x	樂在工作	魏特利　等	尹　萍	220	
BP004	樂在溝通—做個會說話的上班族	白克	顧淑馨	220	
BP006	人生，另一種解答	葆森　等	趙瑜瑞	200	
BP007	與成功有約—全面造就自己	柯維	顧淑馨	220	
BP008	長大的感覺，真好	帕翠生　等	尹　萍	150	
BP009	可以勇敢，也可以溫柔	史克蘿	何亞威	220	
BP010	生涯挑戰101—做工作的主人	迪梅爾　等	李淑嫻	220	
BP011	腦力激進—十二週成長計畫	莎凡　等	李芸玫	220	
BP012	心靈地圖	派克	張定綺	220	
BP013	一躍而過	麥考梅克　等	顧淑馨	220	
BP014	愛與被愛	霍克	劉毓玲	200	
BP015	言語之外	培思	廖淑純	200	
BP016	資訊創意家	川勝久	呂美女	200	
BP017	自助保健	希爾絲	邱秀莉	200	
BP018	無壓力工作	克雷區	汪　芸	200	
BP019	自我領航	寇克絲　等	呂芳雪	200	
BP020	生涯定位	四人組	黃孝如	220	
BP021	21世紀工作觀	麥考比	李瑞豐	220	
BP022	全心以赴	柯維	徐炳勳	250	
BP023	樂在談判	貝瑟曼　等	賓靜蓀	220	
BP024	看，錢在說話	亞伯朗斯基	盧惠芬	250	
BP025	魅力，其實很簡單	瑞吉歐	蕭德蘭	220	
BP026	快樂，從心開始	契克森米哈賴	張定綺	250	
BP027	志在奪標	魏特利	邱秀莉	220	

財經企管系列		作者	譯者	定價	備註
CB106	專業風采	畢克絲樂	黃治蘋	240	
CB107	發展型管理	萊森	周旭華	280	
CB108	全品質經理人	帕瑞克	陳秋美	220	
CB109	統合管理革命	格蕾安	陳秋美	260	
CB110	資訊地球村	增田米二	游琬娟	240	

• 團體訂購，另有優惠。讀者服務專線：(02)506-4616 分機 3

• 國外訂購價格(含郵費)

航空／歐美非地區	定價×2	水陸／歐美非亞地區	定價×1.45
亞洲地區	定價×1.8	港　澳	定價×1.2
港　澳	定價×1.5		

請將書款以美金支票寄至本公司(U.S.$ 1=N.T.$ 26.5)

天下文化出版公司圖書目錄

1994年元月

財經企管系列		作者	譯者	定價	備註
CB049	做個高附加值的現代人	高希均		180	
CB053	歷練—張國安自傳	張國安		200	
CB055	麥當勞—探索金拱門的奇蹟	洛夫	韓定國	200	
CB056	工作與信仰—台灣經濟社會發展的見證	李國鼎		200	
CB057	我們不能再等待	趙耀東		200	
CB058	廣告大師奧格威—未公諸於世的選集	奧格威	莊淑芬	200	
CB061	服務業的經營策略	海斯凱特	王克捷　等	200	
CB063	再創高峯—成功者如何超越失敗	海耶特　等	黃孝如	200	
CB064	攻心爲上—活用的商場智慧	麥凱	曾陽晴	200	
CB065	説來自在—上台演講不緊張	薩娜芙	金玉梅	160	
CB066	股市陷阱88—掌握投資心理因素	巴瑞克	陳延元	200	
CB069	投資美國—外資如何改變美國面貌	陶秦夫婦	周天瑋	200	
CB076	九〇年代理財趨勢—如何在巨變中掌握良機	范卡絲佩	郭恆慶	200	
CB077	2000年大趨勢	奈思比　等	尹　萍	250	
CB078	150年行銷戰—寶鹼公司贏的策略	廣告年代編	邱秀莉	220	
CB081	個人趨勢家	史蘭特　等	薛美珍　等	250	
CB082	談笑用兵—洞悉商場策略	麥凱	鄭懷超　等	220	
CB083	改造遊戲規則—21世紀銷售新法	魏爾生	孫紹成	220	
CB084	經驗與信仰	李國鼎		200	
CB085	平凡的勇者	趙耀東		200	
CB086	哈佛仍然學不到的經營策略	麥考梅克	劉毓玲	220	
CB087	未來贏家—掌握2000年十大經營趨勢	塔克爾	賓靜蓀	220	
CB088	縱橫天下—跨國商談戰略	唐·漢登　等	李瑞豐　等	220	
CB089	世紀之爭—競逐全球新霸主	梭羅	顧淑馨	250	
CB090	躍升中的四小龍	傅高義	賈士蘅	180	
CB091	台灣突破—兩岸經貿追蹤	高希均　等		320	
CB092	超國界奇兵	蓋伊　等	李淑嫻	200	
CB093	無限影響力—公關的藝術	狄倫施耐德	賈士蘅	250	
CB094	綠色企業—永續經營新趨勢	戴維斯	宋偉航	220	
CB095	吳舜文傳	溫曼英		320	
CB096	經營顧客心	懷特利	董更生	240	
CB097	溫柔女強人	羅絲曼	余佩珊	220	
CB098	追求卓越(最新修訂版)	畢德士　等	天下編譯	220	
CB099	跳躍的靈魂—「美體小舖」安妮塔傳奇	安妮塔	黃孝如	280	
CB100	創世紀	保羅·甘迺迪	顧淑馨	320	
CB101	企業大轉型—資訊科技時代的競爭優勢	凱恩	徐炳勳	250	
CB102	大潮流—目擊全球現場	萊特　等	李宛蓉	280	
CB103	反敗爲勝—汽車巨人艾科卡自傳	艾科卡　等	賈堅一　等	250	
CB104	經典管理—世界名著中的管理啓示	克萊蒙　等	張定綺	240	
CB105	小故事，妙管理	阿姆斯壯	黃炎媛	220	

國立中央圖書館出版品預行編目資料

無愧：郝柏村的政治之旅 / 王力行. --第一版. --臺北市：天下文化出版；〔臺北縣三重市〕：黎銘總經銷, 1993〔民82〕
面； 公分. --（社會人文；40）
ISBN 957-621-201-4（平裝）
ISBN 957-621-202-2（精裝）

1. 郝柏村 - 傳記

782.886 82008551

社會人文㊵

無愧——郝柏村的政治之旅

作　者 / 王力行
編　輯 / 黃寶敏
資料整理 / 苗天蕙
封面設計 / 吳毓奇
美術編輯 / 李錦鳳
社　長 / 高希均
發行人 / 王力行
主　編 / 符芝瑛
法律顧問 / 陳長文律師
出版者 / 天下文化出版股份有限公司
地　址 / 台北市 104 松江路 87 號四樓
電　話 /（02)507－8627
直接郵撥帳號 / 1326703-6 號　天下文化出版股份有限公司
電腦排版 / 天宇電腦專業設計
製版廠 / 長城製版印刷股份有限公司
印刷廠 / 沈氏藝術印刷股份有限公司
裝訂廠 / 台興裝訂廠
登記證 / 局版台業字第 2517 號
總經銷 / 黎銘圖書有限公司　電話 /（02)981－8089

著作完成日期 / 1993 年 10 月
出版日期 / 1994 年 1 月 30 日第一版
1994 年 2 月 15 日第一版第 4 次印行（55001～75000 本）
定價 / 360 元

With a Clear Conscience

by Cora L. S. Wang
Published by Commonwealth Publishing Co, Ltd.